Collection dirigée par le professeur Roger Brunet,
assisté de Suzanne Agnely et Henri Serres-Cousiné.

beautés de la France

LA CORSE

Librairie Larousse
17, rue du Montparnasse, 75006 Paris.

Sommaire

Dans chaque chapitre figure une carte originale de Roger Brunet.

Les numéros entre parenthèses renvoient aux folios placés en bas de page avec les titres abrégés des chapitres (1. Côtes corses — 2. Citadelles corses — 3. Villages corses — 4. Montagne corse).

1. La Corse de la mer

rédigé par Gérald Pechmèze

Le reportage photographique a été réalisé par **Pierre Tétrel.**

2. La Corse des citadelles

rédigé par Gérald Pechmèze

Le reportage photographique a été réalisé par **Pierre Tétrel,** à l'exception de la photo p. 19 (haut), Nahmias-Top.

Notre couverture :

Baignée par la mer sur trois côtés, l'invincible citadelle de Calvi, symbole de la puissance génoise.

Phot. Pierre Tétrel.

3. Aux portes du maquis, les villages corses

Le reportage photographique a été réalisé par **Pierre Tétrel.**

4. La Corse des hauts sommets

Le reportage photographique a été réalisé par **Pierre Tétrel,** à l'exception des photos pp. 5, 6 (haut), 9, Binois-Pitch; p. 6 (bas), Mac Waren-Jacana; pp. 7, 8, 17 (bas), Bertot-Atlas-Photo; p. 16 (haut), Robert-Jacana; p. 17 (haut), J. Verroust.

Index

Les lettres placées devant l'indication des pages renvoient aux chapitres suivants :

CC (La Corse de la mer)
BCC (La Corse des citadelles)
VIC (Aux portes du maquis, les villages corses)
MC (La Corse des hauts sommets)

Les pages sont indiquées en **gras** lorsqu'il s'agit d'une illustration, en *italique* pour le renvoi à la carte.

La Corse, ou l'île montagne

*L*A CORSE A GRANDI. *Elle ne forme plus un département, mais deux. Elle n'est plus un petit morceau d'une vaste région commandée par Marseille : elle est une région à elle seule. Et sa place en France aussi a grandi, tant en raison de l'actualité, parfois douloureuse, que du va-et-vient accru des touristes.*

Comment reprocher à ceux-ci d'être toujours plus nombreux, au risque même d'influencer un peu trop l'économie de l'île... et d'agacer ses habitants? La Corse a tellement de séductions...

Qu'est-ce que la Corse? Une île ou une montagne? Une île et une montagne? Ou une île-montagne? À coup sûr beaucoup plus qu'une île, et une île pas comme les autres. On y a vécu comme dans une montagne, mais parce qu'on était dans une île... Avec des guetteurs scrutant la mer sans relâche pour qu'on puisse mieux lui tourner le dos. La mer, d'où venait le danger, d'où sont venus les invasions et les malheurs, les Génois et les Barbaresques. Les unes laissant des couches successives de peuplement, avec leurs témoignages d'art et d'architecture; les autres ne laissant que ruines.

Ayant une montagne pour refuge, les Corses ne sont pas devenus marins — même s'ils ont donné des amiraux célèbres. Ils ont toujours eu avec la mer des rapports méfiants et difficiles. Et l'on ne peut pas dire que le Corse le plus illustre de l'histoire ait réussi sur mer... Pourtant, de nos jours, c'est bien le rivage qui est la plus sûre des valeurs économiques de la Corse, et l'élément le plus recherché.

Par une juste revanche, d'ailleurs : ces superbes citadelles, qui toutes, sauf Corte, jalonnent les côtes et défendaient l'île et sa population, sont parmi les attraits de la Corse; avec, en mineur, les innombrables tours ruinées qui les relayaient sur les promontoires. Et, à côté, quelles richesses! Des kilomètres de rivages presque inaccessibles et encore déserts, comme au sud, entre Bonifacio et Propriano; de hauts lieux dont le nom seul fait rêver, comme les superbes calanchi de Piana; *de larges baies où éclosent les nouvelles stations; la longue, longue, longue côte de sable où les nordiques adorateurs du soleil ne s'isolent pas toujours assez aux yeux d'une population restée plus prude ou plus réservée; ce petit monde qu'est à soi seul le Cap-Corse, où les gros villages perchés ont l'air d'avancer dans l'eau — et avec quelle prudence — tout juste un bout d'orteil qu'ils appellent «marine».*

La «vraie» Corse — mais, au fait, pourquoi l'autre serait-elle plus fausse? — est dans ces villages tassés, étagés en escalier sur des buttes, à l'instar d'une grande partie des pays méditerranéens. La Corse du repli, de l'isolement, du morcellement : celle qui s'abritait derrière les mille cloisons de la montagne, mais qui, du même coup, se condamnait à la circulation difficile, aux échanges parcimonieux. La Corse des châtaigniers et des moutons, celle aussi de la pauvreté, du dépérissement et de l'exode vers les villes et vers le Continent. Belle incontestablement, poignante par ses souffrances et ses abandons. À parcourir lentement, avec respect et avec réserve, en songeant à ses habitants; et non, justement, comme on parcourt une «réserve», en traquant la curiosité, l'«insolite», l'«authentique».

On y a bien délimité un «parc naturel»; mais, à la décharge des aménageurs, on reconnaîtra qu'il n'englobe que la plus haute montagne, là où sont les seules forêts que les chèvres et les hommes ont bien voulu laisser vivre — ou revivre —, alors qu'ailleurs ils l'ont réduite à ces buissons touffus qui forment le célèbre maquis. Là sont les lacs d'eau glacée qu'on n'atteint qu'en marchant longtemps, dans un décor où rien n'évoque plus ni l'île ni la mer. Là sont même de bien jeunes stations de ski...

Si l'on songe qu'à quelques minutes — enfin, presque — s'étendent les paradis de la pêche sous-marine, ou les vignes et les vergers, voire les orangers, qui ont fait de la plaine orientale comme une fille du Maghreb, avec l'accent et les conflits, on se dit que la Corse est tout un monde, et qui est loin de se limiter à son passé.

C'est plutôt la discrétion apparente de ce dernier qui frappe. Mais une des joies les plus rares du voyage en Corse est peut-être la découverte de ses traces et de ses signes : d'une petite église très vieille, d'un pont génois qui tient encore par miracle, d'une pierre qui a figure humaine et qui date d'avant l'histoire, quelque part vers Filitosa. Ou d'une plaque qui parle de Paoli, ou de Sampiero, ou de ... Oui, bien sûr, comment ne pas penser à lui?

ROGER BRUNET

la Corse de la mer

◀ *Au pied de Cargèse,*
le cimetière et la marine
où sommeillent
quelques barques.

Les côtes ensoleillées de la Corse
offrent la féerie d'un spectacle sans cesse renouvelé,
où la beauté de l'arrière-pays
le dispute aux mille et un attraits d'un littoral
baigné par une mer aux eaux transparentes.

2. Côtes corses

▲ Les granites rouges et déchiquetés
des « calanche » de Piana
dominent le golfe de Porto.

◄ Les aiguilles des « calanche »
et la silhouette du Capo Rosso,
couronnée d'une tour de guet.

▲ *Plage de galets frangée d'un étroit ruban d'argent : Albo, une des marines du cap Corse.*

◀ *Cernée de maquis, la petite crique de sable blond de la marine de Tizzano, aux environs de Sartène.*

Beaucoup de villages retirés dans la montagne,
qui n'est jamais bien loin de la mer,
possèdent une marine,
petite plage ou port miniature
blotti au fond d'une anse,
au bout d'un chemin muletier
qui serpente à travers le maquis.

Animée par des estivants, ▶
la marine de Miomo
et sa tour génoise (cap Corse).

Dentelles de roc, les côtes corses,
mal desservies par la route
qui ne fait qu'effleurer leurs innombrables anfractuosités,
ne dévoilent vraiment leurs trésors que de la mer.
Aussi les ports de l'île abritent-ils
une nuée de plaisanciers.

6. Côtes corses

▲ Un cadre exceptionnel,
une anse quasi solitaire,
un fortin génois,
un petit débarcadère
et quelques maisons :
Girolata.

◄ Non loin de Girolata,
un autre havre de paix,
réservé aux marins
et aux bons marcheurs :
le golfe d'Elbo.

Erbalunga, ▲
qu'on appelle souvent
« Collioure du cap Corse »,
a les pieds dans l'eau.

L'été, yachts et langoustiers ▶
se partagent équitablement
la rade minuscule
de Centuri (cap Corse).

Les maisons font le mur ▶ ▶
pour hausser encore
l'à-pic de la falaise
du vieux Bonifacio.

Dans le golfe de Valinco, ▶
le port de Propriano,
simple hameau devenu
active station balnéaire.

*Largement ouverts aux vacanciers
ou encore réservés à quelques initiés,
les ports, les anses et les golfes de Corse,
naguère inconnus,
possèdent tous les atouts pour devenir
des hauts lieux de grand tourisme.*

▲ *Construit à fleur d'eau,*
Saint-Florent,
port de pêche
et de plaisance.

Les Corses, traditionnellement plus montagnards que marins, ont, durant des siècles, tourné le dos à la mer qui ne leur apportait que des ennuis, sous la forme de pillards et d'envahisseurs. De plus, les zones les plus fertiles de la côte étaient infestées de moustiques, propagateurs du paludisme. Aujourd'hui, le DDT a vaincu la malaria, et les seuls envahisseurs de l'« île de Beauté » sont les touristes. Aussi la situation s'est-elle retournée du tout au tout : les 1 000 km de côtes sont devenus les lieux de beaucoup les plus recherchés de l'île.

Si le tourisme se développe avec une vigueur que certains nostalgiques du passé peuvent juger un peu anarchique, c'est que le littoral corse, déjà favorisé par un climat très ensoleillé, offre aux estivants un éventail de ressources particulièrement riche : eau tiède et limpide, longues plages très sûres, ombragées de pins, pêche, plongée sous-marine, promenades en mer, voile et navigation de plaisance, etc. C'est également parce que les rivages sont aussi variés que leur arrière-pays.

Au sud-ouest et à l'ouest de l'île, les grands golfes se succèdent avec leurs baies, leurs anses, leurs plages et leurs caps. C'est le paradis des propriétaires de bateau, mais les bons marcheurs peuvent aussi trouver une petite crique isolée, au prix de quelques kilomètres de chemin muletier. Au nord, c'est le cap Corse où la montagne plonge directement dans la mer. L'activité des « marines » y fait un plaisant contrepoint au calme de l'intérieur, où le maquis surchauffé et odorant accueille les promeneurs épris de solitude. À l'est, la plaine orientale, avec sa côte plate ourlée d'étangs, ne forme pratiquement qu'une seule plage de sable fin, longue de plus de 100 km : c'est le lieu de séjour privilégié des amateurs de bains de soleil et de distractions nautiques.

Un croissant de sable fin : le golfe de Sagone

Au nord d'Ajaccio, au-delà du chapelet des îles Sanguinaires, la côte occidentale forme une série de golfes qui recèlent quelques-uns des plus beaux sites maritimes de la Corse. Le premier, très ouvert, est celui de Sagone, admirable courbe sablonneuse, entourée de montagnes dont les pointes culminent à 600 ou à 700 m. Deux vallées, celle de la Liscia et celle du Liamone, séparent les massifs. Il y a trente ans encore, cette région était infestée de moustiques et à peu près déserte. Aujourd'hui, hôtels, villas et terrains de camping y poussent comme des champignons, et le site est si beau qu'ils ne parviennent pas à l'enlaidir.

Le bassin de la Liscia était autrefois le fief des comtes de Cinarca, qui donnèrent leur nom à la *piève* (ancienne unité administrative).

Cette famille eut une très grande importance historique au Moyen Âge et domina l'île pendant plus de deux cents ans, mais les querelles intestines eurent raison de son pouvoir au début du XVIe siècle. Les ruines de l'un de ses châteaux dominent encore le petit village de *Tiuccia,* blotti au sud de la baie, entre deux pointes qui portent chacune une tour génoise et dont les criques rocheuses attirent de nombreux estivants.

Aujourd'hui centre de villégiature en vogue, *Sagone* a connu une histoire en dents de scie : ancienne ville romaine, puis évêché d'un diocèse de onze pièves, elle fut complètement détruite au cours du Moyen Âge, probablement par les Sarrasins, et ne comptait, au lendemain de la Seconde Guerre mondiale, que quelques maisons délabrées autour de sa petite cathédrale en ruine. Ressuscitée, bourdonnante d'activité — au moins durant l'été —, elle a doté son magnifique plan d'eau d'un port de plaisance et d'une école de voile.

À l'extrémité nord du golfe, sur un promontoire couronné d'une tour ronde, s'élève une bourgade toute blanche, étalée en fer à cheval au-dessus de la mer, parmi les figuiers et les orangers : *Cargèse.* Au centre, face à face, de part et d'autre d'un étroit vallon fleuri, se dressent deux églises, l'une de rite romain, l'autre de rite grec. Car la ville a été fondée par une colonie hellène. En 1676, 730 Grecs de la péninsule de Magne, dans le Péloponnèse, persécutés par les Turcs, obtinrent de la république de Gênes, qui dominait alors la Corse, l'autorisation de s'établir dans l'île. Ils s'installèrent à Paomia, à 4 km au nord-est de l'actuelle Cargèse, dans la montagne.

Las! les persécutions n'étaient pas pour autant terminées. Les Corses voisins n'admirent pas la création de cette colonie étrangère sur des terres dont ils avaient jadis été chassés par les Barbaresques. Entre 1715 et 1730, les coups de main contre Paomia se succédèrent, mêlés d'embuscades, d'incendies, de meurtres. Le 30 avril 1731, les malheureux immigrés se réfugièrent par mer à Ajaccio. En 1775, le lieutenant général français Louis de Marbeuf, qui tenait une partie de la Corse, leur fit construire le village de Cargèse. Et, après bien d'autres avanies, l'opiniâtreté et la diplomatie grecques finirent par avoir raison de la vindicte corse. Aujourd'hui, les deux églises blanches se partagent équitablement les fidèles..., tandis que, 100 m plus bas, sur les plages de Pero et de Chioni, les touristes se dorent au soleil.

Des calanques de Piana à la désolation du Fango

Construit en belvédère à 438 m d'altitude, au bord d'une falaise qui domine le golfe de Porto, le bourg de *Piana,* malgré la beauté de son panorama et le charme de son amphithéâtre de maisons blanches,

Le désert des Agriates

Sur la route de L'Île-Rousse à Saint-Florent, en sortant des fertiles vergers de la Balagne, après avoir traversé le village de vacances de Losari, entouré d'un épais maquis où subsistent quelques oliviers, on franchit un pont, et l'on se trouve dans l'un des endroits les plus étranges, les plus inattendus, les plus inhospitaliers de la Corse : le désert des Agriates. Sur quelque 16 000 ha, le granite, calciné par le soleil, rongé par le sel, a perdu presque tout son tapis végétal. Le maquis lui-même, pourtant peu exigeant, n'a pas réussi à s'accrocher dans ce chaos de rochers blanchis : il est rare et rabougri. Sur une vingtaine de kilomètres, on ne rencontre pas un village; seules quelques bergeries apparaissent de loin en loin dans cette fournaise, au milieu des maigres pâturages, et l'on a peine à imaginer que cette étendue désertique, parsemée de buttes rocailleuses qui font figure de montagnes, fut jadis l'un des greniers à blé de la Corse.

Aucune route, aucun sentier ne conduit au rivage, dont les criques reçoivent seulement, durant la belle saison, la visite de quelques fanatiques de la solitude, venus par la mer.

Au pont du Diable, qui enjambe le torrent de Cabanaccio, une plaque de marbre, scellée dans le rocher, porte ces mots : « À Pierre Benoit, auteur des *Agriates*, la Corse reconnaissante. » Précisons qu'il s'agit d'un roman, paru en 1950, qui décrit les mœurs patriarcales d'une famille corse au XIXᵉ siècle : marié à une femme beaucoup plus jeune que

→

▲ *Au seuil du désert des Agriates,
l'anse de Peraiola,
dernier point
desservi par la route.*

*La magie de la couleur
fait du golfe de Porto
un des sites*
▼ *les plus célèbres de la Corse.*

serait certainement moins connu sans l'extraordinaire merveille de la nature qui commence à sa porte : les calanques (ou *calanche*, en dialecte). Sur 3 km environ, entre Piana et Porto, la route en corniche traverse un fantastique paysage minéral. Ici, contrairement aux calanques du Midi, ce n'est pas la côte qui est découpée, mais la falaise elle-même, burinée verticalement par l'érosion. Le granite rouge, auquel s'accrochent quelques pins et des buissons épineux, forme un chaos d'aiguilles aux formes tourmentées, plongeant dans la mer qui scintille 300 m plus bas. On remplirait une anthologie avec tout ce que les visiteurs ont écrit sur les calanques de Piana, où Maupassant voyait des « rochers [...] étranges, torturés, courbés, rongés par le temps, sanglants sous les derniers feux du crépuscule, et

prenant toutes les formes, comme un peuple fantastique de contes féeriques, pétrifié par quelque pouvoir surnaturel... »

Si Piana doit la notoriété à ses calanques, *Porto* serait moins connu sans son golfe, car c'est à peine un hameau, plutôt un lieu-dit, situé à l'embouchure d'un torrent qui descend de la montagne par une vallée encaissée et très boisée. De magnifiques eucalyptus bordent la plage de gravillons, protégée par un promontoire de roches rouges qui porte une tour carrée assez délabrée. Autour de ce site charmant se déploie le plus prodigieux amphithéâtre de granite que l'on puisse rêver, une muraille de falaises d'un rouge lumineux, qui tombe à pic dans le bleu profond de l'eau. Au-dessus se découpent des crêtes altières et des guirlandes d'aiguilles échevelées, et le tout est surmonté par les

▲ *Toute la côte orientale n'est qu'une longue succession de plages de sable. (Ici, la marine de Prunete.)*

lui, un propriétaire sait qu'il est trompé, mais ignore l'identité de l'amant. Soupçonnant trois hommes, il les tue tous les trois et apprend ensuite que le coupable n'est autre que le fils de son fidèle berger, lequel supprime alors son indigne rejeton. Le patron se charge, lui, de châtier son épouse avant de se donner la mort. Cette hécatombe méritait bien une plaque commémorative... ■

Sénèque et les Corses

Dans les montagnes du cap Corse, près du col de Sainte-Lucie (commune de *Luri*), non loin de la seule route qui traverse la péninsule dans le sens de la largeur, se dresse, au sommet d'un promontoire escarpé, à pic sur trois côtés, une vieille tour ronde entourée d'une enceinte en fort mauvais état. Le sentier qui y conduit est abrupt, mais le panorama que l'on y découvre fait oublier les difficultés de l'escalade : d'un côté, la mer Tyrrhénienne et ses îles, de l'autre, la Méditerranée. Baptisé « tour de Sénèque » par la tradition populaire, ce bâtiment, bien que visiblement construit au Moyen Âge, passe pour avoir abrité le célèbre philosophe, avocat et orateur romain lorsque celui-ci, victime des intrigues de l'impératrice Messaline, fut exilé en Corse par l'empereur Claude, de 41 à 49.

En fait, il semble que l'auteur du dialogue *Sur le bonheur de la vie* ait passé la majeure partie de ces huit années pénibles à Aleria ou à Mariana, colonies de la côte orientale, plus fréquentées par les Romains que le cap.

massifs qui, à plus de 2 000 m d'altitude, enchâssent les 2 700 m du monte Cinto. On comprend que les couchers de soleil soient ici plus flamboyants que nulle part ailleurs et que le golfe de Porto soit considéré comme un des joyaux non seulement de la Corse, mais de toute la Méditerranée.

Girolata, isolée de tout ce qui n'est pas la mer

Tout proche du golfe de Porto, dont il n'est séparé que par la haute pyramide rouge (620 m) du cap Senino, le golfe bien abrité de *Girolata* — un des mouillages les plus sûrs de l'île — est resté à l'écart de l'essor touristique parce que, en dehors de la mer, sa seule voie d'accès est un chemin muletier qui exige deux heures de marche pénible. C'est un petit paradis miraculeusement préservé, sans voitures et sans électricité. Au fond d'une anse solitaire, ceinturée de falaises ocres et rouges, un hameau de quelques feux s'adosse au maquis, au pied d'un promontoire dominé par un fortin génois. La plage ombragée d'eucalyptus s'arrondit en croissant autour des barques des pêcheurs de langoustes, auxquelles se mêlent, à la belle saison, les yachts des habitués venus déguster une bouillabaisse à la terrasse de la buvette.

En remontant vers le nord, la côte, sauvage et rocheuse, borde une région à peu près déserte, dont la seule animation provint longtemps de la présence, durant l'hiver, des troupeaux descendus du plateau voisin du Niolo. La mer, frangée d'écueils et sillonnée de courants qui rendent la navigation difficile, est particulièrement poissonneuse, et les chasseurs sous-marins y font des pêches miraculeuses. *Galéria*, village corse typique, situé à l'embouchure du Fango (qui donne son nom à la région), est en train, grâce à sa belle plage de sable, de devenir une petite station balnéaire, mais c'est la seule agglomération digne de ce nom de cette région sauvage. Jusqu'à Calvi, la route serpente entre la mer et la montagne, dans un paysage désertique de rochers rouges, de prairies et de champs de cotonniers sauvages. La mine de plomb argentifère d'Argentella est abandonnée, et le pavillon de chasse que Pierre Bonaparte fit construire à l'emplacement de la Torra Mozza n'est plus qu'une ruine.

La Balagne, verger de la côte ouest

Le contraste n'en est que plus saisissant lorsque, passée la punta di a Rivellata qui abrite Calvi, on découvre soudain la souriante Balagne, jardin — ou plutôt verger — de la Corse depuis la plus haute antiquité. Entre le rivage découpé et les montagnes boisées, dominées par des sommets enneigés pendant une bonne partie de l'année, s'étire une plaine fertile où l'olivier règne en maître, au détriment parfois de l'amandier, du cédratier et du figuier, moins nombreux qu'autrefois. Malheureusement, beaucoup de ces arbres ne sont plus entretenus, et les vieux villages qui s'étagent sur les premiers contreforts de la montagne se dépeuplent lentement.

Il faut un effort d'imagination pour se représenter le pays tel qu'il était sous la domination de la République de Pise, du XIe au XIIIe siècle, lorsque sa richesse y fit éclore une floraison d'églises. Le plus intéressant de ces sanctuaires romans est probablement celui d'*Aregno*, avec son alternance de pierres blanches et vertes, sa haute façade étroite et ses sculptures énigmatiques. À *Montemaggiore* aussi, l'essentiel de la décoration de l'église Saint-Rainier est dû à des pierres teintées (ici, elles sont noires), tandis que, à *Belgodère* (« Beauplaisir »), l'église Saint-Thomas se signale surtout par quatre curieuses coupoles aplaties.

À *Calenzana,* qui fut l'une des villes les plus peuplées de la Corse et qui n'est plus qu'un gros bourg d'où l'on découvre un admirable panorama sur le golfe de Calvi, l'église Sainte-Restitute, détruite au XIVe siècle, fut reconstruite au XVe et agrandie au XVIIIe. Tous les ans, à la fin du mois de mai, on y vient en pèlerinage prier devant le sarcophage de marbre sculpté, datant du IVe siècle, qui abrite les restes de la sainte et de ses cinq compagnons, martyrisés à Calvi en 303.

Aujourd'hui, la vie de la Balagne se concentre sur le littoral, où une nouvelle industrie a remplacé celle des fruits : le tourisme. C'est surtout *Calvi*, avec son port de plaisance et sa magnifique plage de sable, longue de 4 km et bordée de pinèdes, qui attire les estivants. On peut y pratiquer tous les sports nautiques, et les amateurs de pêche sous-marine découvrent dans les parages de nombreuses criques aux eaux transparentes.

L'histoire de *L'Île-Rousse* est récente, puisque la ville ne date que de 1758. Paoli la fit construire pour concurrencer Calvi, trop génoise à son goût. Elle porta son nom (Paolina) avant de prendre celui du rocher rouge qui ferme sa baie, et, sur la fontaine de la grand-place, trône toujours le buste en marbre blanc du « père de la patrie corse ». Un climat particulièrement doux, un port bien abrité, de bons hôtels et une belle plage de sable en font, hiver comme été, un agréable centre de vacances.

Depuis quelques années, se manifeste un engouement très net pour les « marines » : à l'origine simples hameaux en bordure de mer, dépendant d'un village plus important de l'intérieur, elles sont souvent transformées aujourd'hui en complexes touristiques comportant hôtels, terrains de camping, magasins et équipements sportifs. C'est le cas des marines de *Davia* et de *Sant'Ambrogio,* qui offrent aux

Quoi qu'il en soit, Sénèque ne garda pas un bon souvenir de son séjour, puisqu'il écrivit : « La Corse barbare est fermée de toutes parts par des rocs escarpés. Terre horrible où l'on ne voit partout que de vastes déserts. L'automne n'y donne point de fruits, ni l'été de moissons; le printemps n'y réjouit point les regards par ses ombrages; aucune herbe ne croît sur ce sol maudit. Là, point de pain pour soutenir sa vie, point d'eau pour étancher sa soif; point de bûcher pour honorer ses funérailles. On n'y trouve que deux choses : l'exilé et son exil. »

On le voit, il est difficile de tracer un tableau plus noir. Et les habitants eux-mêmes ne sont pas mieux · traités. Ils n'obéissent, affirme le philosophe millionnaire (en sesterces), qu'à quatre lois : « La première est de se venger, la deuxième de vivre de rapines, la troisième de mentir et la quatrième de ne pas croire aux dieux. »

Sévère, n'est-ce pas? Surtout mesquin, car cette haine de la Corse et des Corses semble avoir été inspirée à Sénèque par une mésaventure que l'on s'attendrait davantage à trouver chez le Shakespeare des *Joyeuses Commères de Windsor* que chez un admirateur des stoïciens : poussé sans doute par l'ennui d'un exil prolongé, le philosophe importuna de ses assiduités une dame qui, semble-t-il, était déjà pourvue; aussi les joyeuses commères du coin attirèrent-elles l'étranger dans un endroit écarté, où elles le roulèrent sans ménagement dans les orties. Depuis, une urticacée, particulière à la Corse, porte le nom d'*Urtica di Seneca*. ∎

▲ *À L'Île-Rousse, créée pour concurrencer Calvi, le tourisme a pris le relais du trafic portuaire en déclin.*

Vus du vieux fortin génois, l'anse encore préservée de Girolata et l'amphithéâtre de montagnes ▼ qui l'isole du monde.

estivants l'agrément d'un cadre de verdure et toutes les commodités d'un centre commercial. C'est également le cas de *Lozari*, où l'association Villages-Vacances-Familles a ouvert son premier centre de séjour en Corse.

Algajola est restée plus traditionnelle, avec sa petite forteresse, ses vieux remparts, ses rues à arcades et ses placettes. Ancien village de pêcheurs, elle est en train de devenir une pittoresque station balnéaire.

Le cap Corse à la recherche d'un deuxième souffle

Séparée de la fertile Balagne par la désolation du désert des Agriates, la péninsule montagneuse du cap Corse, longue de 40 km et large de 12 à 15 km, jaillit au sommet de l'île comme un doigt pointé vers le nord, entre *Saint-Florent*, ressuscitée par le tourisme et dont le port désensablé accueille maintenant les plaisanciers au fond d'un golfe d'une émouvante beauté, et *Bastia*, la grande ville devenue

▲ *Près de Nonza (cap Corse),
sur un escalier de terrasses
soutenues par des pierres sèches,
les ruines d'un couvent franciscain.*

Les Barbaresques et l'anophèle

Aleria : 20 000 habitants du temps des Romains, qui avaient installé là leur capitale, quelques centaines en 1945. Mariana (où se trouve la Canonica) : une ville prospère dans l'Antiquité, quelques maisons seulement il y a trente ans. On pourrait citer bien d'autres exemples de cette régression qui affecta tout le littoral corse et plus particulièrement la plaine orientale.

Qu'est-il donc arrivé? Les Barbaresques! En razziant régulièrement les côtes, ils obligèrent les habitants à se réfugier dans les montagnes, abandonnant les florissantes cultures des plaines côtières : oliviers, cédratiers, céréales, etc. Les canaux d'irrigation cessant d'être entretenus, il ne leur

une station balnéaire grâce à sa très agréable plage de la Marana.

Une route fait le tour du cap en longeant (sauf à l'extrémité) la côte, plus découpée à l'ouest où la montagne plonge directement dans la mer, plus régulière à l'est. Tout le long de cette route, le rivage est ponctué de minuscules ports de pêche, les marines. Car, ici, les Corses furent marins en même temps que cultivateurs, partageant leur temps entre la mer et les oliviers, les vignes et les arbres fruitiers étagés aux flancs des vallées verdoyantes qui descendent de la chaîne de montagnes centrale. Aujourd'hui, le maquis gagne du terrain et les villages se dépeuplent, mais les vignobles fournissent encore des vins de qualité.

Rogliano, qui fut la « capitale » de tout le nord du cap Corse, permet de se faire une idée de l'appauvrissement de la région. Autrefois ville importante, comptant plus de 4 000 habitants, elle n'est plus qu'un ensemble de hameaux qui n'en ont pas 600 à eux tous. Les ruines de trois châteaux forts, un couvent désaffecté, des églises, des tours de défense témoignent de la prospérité passée. Seule la marine de *Macinaggio,* qui fut un port actif, rival de Bastia, est en train de reprendre vie grâce au tourisme.

Les villages perchés de la côte ouest

Particulièrement redoutée des pilotes du Tour de Corse automobile pour sa vertigineuse succession de virages, la corniche de la côte occidentale du cap Corse dessert des villages perchés sur un piton ou accrochés au flanc de la montagne.

Étonnante forteresse du Moyen Âge, *Nonza* est juchée à 150 m d'altitude, sur un énorme rocher noir. Dominé par une tour génoise en porphyre vert, le village pousse jusqu'à l'extrême bord du roc ses maisons entourées de minuscules jardins où s'épanouissent les cédratiers. Une église (du XVIᵉ siècle) et la fontaine des Mamelles rappellent le martyre de sainte Julie, suppliciée au début du IVᵉ siècle par les Romains : deux sources, dit la légende, jaillirent à l'endroit où furent jetés ses deux seins, tranchés par ses bourreaux.

Canari, échelonnée sur les pentes du monte Cuccaro au milieu des oliviers, des vergers et des vignes, possède une intéressante église romane de l'époque pisane, Santa-Maria, construite en grandes dalles de schiste vert. Quant à *Pino,* c'est un des plus jolis villages de Corse, avec ses maisons fleuries dispersées dans la verdure, son église baroque, ses tours de défense, son vieux couvent et ses énormes cyprès. À quelques kilomètres de là, par une route de montagne qui offre de magnifiques points de vue sur la côte, on atteint la tour de Sénèque, qui date certainement des Génois, mais où la tradition veut que le célèbre philosophe romain ait passé les huit années de son exil.

*La blancheur du sable de Palombaggia,
à la sortie du golfe de Porto-Vecchio,
fait chanter l'ocre des rochers
▼ et le vert des pinèdes.*

Canari et Pino ont tous deux un pied dans l'eau, une minuscule marine où les pêcheurs de langoustes tirent le soir leur embarcation sur la grève et qu'un raidillon relie au village.

Au bord de l'eau, les marines

De toutes ces marines qui se transforment aujourd'hui en ports de plaisance ou en stations balnéaires, la plus belle est peut-être celle de *Centuri.* Le crépi rose et les toits de serpentine verte des maisons égaient un petit port en fer à cheval. Il ne reste plus beaucoup d'habitants à Centuri, mais jadis les pêcheurs, et surtout les marins, y

fallut pas beaucoup de temps pour s'ensabler. L'eau se mit à stagner, et l'anophèle meurtrier se multiplia, répandant le paludisme. Aussi les Corses, même au XIXᵉ siècle, quand ils n'avaient plus à redouter les raids barbaresques, restèrent-ils accrochés à leurs montagnes, hors de portée des redoutables moustiques.

Voici un témoignage de Mérimée, datant de 1840 : « ... aussitôt après la moisson, le village (Aleria) devient désert, et la fièvre attend immanquablement quiconque s'aviserait d'y passer la nuit. Lorsque je visitai Aleria, je n'y trouvai qu'un vieillard souffreteux que les propriétaires paient pour garder le blé renfermé dans les maisons. Le fort même et le poste de la douane étaient abandonnés. La plaine est d'ailleurs très fertile, bien que le terrain soit sablonneux, et

l'on peut juger de la bonté du sol à la hauteur et à la vigueur du maquis qui couvre tous les endroits où la charrue n'a point passé depuis peu. »

Il fallut attendre 1943 et l'arrivée des Américains avec leur DDT pour que l'on entrevoie la possibilité de débarrasser les côtes corses des moustiques. Mais la disparition de ces bestioles ne suffit pas, à elle seule, à changer la face des choses. C'est seulement à partir de 1957 que la plaine orientale commença véritablement à changer d'aspect. Cette année-là se produisirent deux faits, sans rapport entre eux, mais dont la coïncidence allait bouleverser l'économie de l'île. Le premier fut l'arrivée de réfugiés d'Afrique du Nord, souvent d'origine corse, dont l'implantation devait se poursuivre et s'amplifier jusqu'en 1962. Le second fut la mise

→

▲ *Harmonieuse dans sa simplicité, l'ancienne cathédrale de la Canonica, souvenir de l'occupation pisane.*

furent nombreux. C'est là que Pascal Paoli créa, en 1757, les chantiers navals qui lui fournirent rapidement 14 bâtiments de guerre.

Les amateurs de solitude préféreront *Tollare* ou *Barcaggio*, seuls points de l'extrémité nord du cap auxquels on puisse accéder en voiture. La côte, sauvage, rocheuse et accidentée, forme une série de criques désertes, séparées par un collier de tours génoises, où l'eau est d'une merveilleuse limpidité. À Barcaggio, il y a une belle plage de sable; à Tollare, de pittoresques maisons à escalier extérieur.

Sur la côte est, la marine de Sisco n'est que le plus bas des dix-sept hameaux qui composent la commune de *Sisco*. Les seize autres sont accrochés aux flancs de la vallée la plus verdoyante du cap. Le plus élevé — et le plus important —, dominé par une grosse tour carrée,

recèle, dans le trésor de son église paroissiale, un très curieux objet d'art sacré : un reliquaire de cuivre du XIIIᵉ siècle, argenté et doré, représentant une tête casquée et contenant un crâne qui serait, dit-on, celui de saint Jean Chrysostome.

René Bazin regrettait « non pas que Concarneau ait une colonie de peintres, mais que la Corse n'en ait pas une ». Que l'auteur de *La terre qui meurt* repose en paix, cette lacune est comblée : *Erbalunga*, allongée sur un promontoire rocheux, la tête dans le maquis, les pieds dans la Méditerranée, est devenue le « Collioure de la Corse ». Serrées les unes contre les autres, baignant leurs vieux murs dans la mer, ses maisons bancroches enserrent un port minuscule où se balancent quelques barques de pêche.

Berceau de la famille paternelle de Paul Valéry (qui ne vint en Corse qu'à soixante-trois ans, en 1934) et de celle de Mᵉ de Moro-Giafferi, Erbalunga est un hameau de la commune de *Brando*, au même titre que *Castello*, dont l'église Sainte-Marie-des-Neiges remonte au Xᵉ siècle, et que *Lavasina*, dont le sanctuaire attire chaque année, le 8 septembre, des pèlerins venus de toute la Corse. Quant à la fameuse procession de *la cerca*, elle part d'Erbalunga le matin du vendredi saint et, sur 7 km, va de hameau en hameau et d'église en église; le soir, une autre procession, *la granitola*, se déroule à la lueur des cierges.

Sur la côte orientale, les moustiques ont cédé la place aux touristes

Marécageuse, insalubre, infestée de paludisme, la plaine littorale, qui s'étire sur 100 km au sud de Bastia, fut longtemps considérée comme la région la plus défavorisée de l'« île de Beauté » et abandonnée à ses miasmes et à ses moustiques. La disparition de ces derniers et l'intervention des rapatriés d'Afrique du Nord, épaulés par la SOMIVAC (Société pour la mise en valeur agricole de la Corse) l'ont transformée en un immense verger, coupé de rivières assagies, qui produit en abondance vin et agrumes.

Car le sol, convenablement irrigué, est extrêmement fertile. Les Romains, qui y ont laissé de nombreuses traces de leur passage, l'exploitèrent méthodiquement, et la région resta active et peuplée jusqu'à la fin du XIIIᵉ siècle. Deux églises rappellent l'époque où Mariana, la ville fondée par Marius en 93 av. J.-C. et dont il ne reste que quelques pans de murs, à côté de la nouvelle station balnéaire de *Mariana-Plage*, était un important évêché. La cathédrale, connue sous le nom de *la Canonica*, est probablement la plus célèbre des églises corses. Édifiée au début au XIIᵉ siècle à côté d'une ancienne basilique paléochrétienne, elle a inspiré tous les sanctuaires romans de l'époque

en œuvre d'un programme d'action régionale, matérialisé par la création de la SOMIVAC. Les réalisations de cette société d'économie mixte, chargée de développer l'irrigation et de favoriser la mise en culture d'espaces vierges, conjuguées à l'esprit d'initiative et à la technicité des « pieds-noirs », provoquèrent l'investissement de gros capitaux (extérieurs à l'île) et l'immigration de travailleurs étrangers, en majorité nord-africains. Le résultat : 25 000 ha de vignes et 5 000 ha d'arbres fruitiers, clémentiniers principalement, parsemés de bourgs actifs, ont remplacé le maquis désert, infesté de malaria, et la plaine orientale est redevenue ce qu'elle était il y a 2 000 ans, au temps de l'occupation romaine : la région la plus active et la plus prospère de la Corse. ■

▲ *Un collier de plages fait du golfe de Porto-Vecchio un pôle du tourisme corse. (Ici, Cala Rossa.)*

pisane, et notamment la cathédrale de Nebbio, près de Saint-Florent. C'est un modeste édifice rectangulaire, d'une grande sobriété, qui doit son élégance à ses proportions harmonieuses et à la belle teinte ambrée de ses pierres. L'église voisine de San Parteo, également romane, lui ressemble beaucoup.

Débarrassée de sa mauvaise réputation, la côte orientale a vu accourir les promoteurs, à l'étroit sur les corniches rocheuses de la côte ouest, et de vastes ensembles commencent à surgir du sol. Bien que le paysage plat soit un peu monotone, en dépit d'un très bel arrière-pays, les touristes affluent chaque année plus nombreux dans les nouvelles stations de la côte, attirés par les immenses plages de sable fin, frangées d'étangs et de lagunes.

Le ton est donné dès la sortie de Bastia, avec l'*étang de Biguglia*, peuplé de grosses anguilles : long de 10 km, il est séparé de la mer par un cordon de sable qui porte maintenant le club de *la Marana*, un grand ensemble de pavillons.

Finis les virages du cap Corse. La route la plus — sinon la seule — rectiligne de l'île file de village de vacances en bourg agricole et de lagune en terrain de camping. Voici *Moriani-Plage*, récent et banal ensemble balnéaire, très fréquenté par les Allemands et les Scandinaves, grands amateurs de soleil, de sable chaud et de naturisme plus ou moins sauvage. *Prunete-Cervione*, avec l'une des plus belles plages de la côte orientale, est plus pittoresque : la plaine littorale ne mesure ici que 5 km de large, et l'on a une belle vue sur les montagnes voisines de la Castagniccia, le « pays des châtaignes ».

L'*étang de Diane,* qui fut le port de guerre de la romaine *Aleria*, est maintenant exploité par des pêcheries. Celles-ci l'ont transformé en une gigantesque nasse en fermant son étroit goulet par un système de chicanes qui permet aux poissons de la mer d'y entrer, mais non pas d'en sortir. Depuis deux mille ans, on y élève les huîtres, mais on ne les ouvre plus pour les saler et les expédier à Rome, comme au temps où l'accumulation des coquilles vides créa, au milieu de l'étang, l'île des Pêcheurs, qui a 400 m de circonférence.

Au nord de l'*étang d'Urbino*, la réserve nationale de Casabianda a été créée pour la protection du gibier, notamment du cerf de Corse, tandis qu'au sud, entre l'étang et la mer, la SETCO (Société pour l'équipement touristique de la Corse) est en train d'édifier, sur le domaine de *Pinia*, un vaste complexe de motels, d'hôtels, de villas et de terrains de camping qui pourra accueillir plus de 20 000 vacanciers.

Ghisonaccia, la « capitale » de la plaine orientale, qui comptait hier moins de 500 habitants, en a aujourd'hui plus de 1 500. Elle le doit à la renaissance agricole, qui a fait du village endormi un gros bourg très actif. C'est, au contraire, au tourisme que *Solenzara*, dernière agglomération de la côte plate de l'est avant le littoral rocheux du sud-est, doit l'accroissement de sa population : bourgade de

134 habitants il y a vingt ans, elle est devenue un port de plaisance et une station en vogue grâce à sa plage, à ses bois d'eucalyptus et à son équipement touristique très complet.

Une mer intérieure

Au sud de Solenzara, la montagne se rapproche de la mer, et le rivage est plus escarpé. Les mandariniers alignés au cordeau font place à une végétation luxuriante, subtropicale, et les plages sont frangées de pins parasols. On retrouve les marines avec *Favone*, nichée entre deux pointes boisées, et *Pinarello*, au fond d'une baie ourlée de sable. La grande attraction de cette région, appelée « côte des Nacres » à cause des énormes coquillages que l'on y trouve en abondance, est le golfe de Porto-Vecchio. Très fermé, il est si profond que c'est une véritable mer intérieure, aux merveilleuses teintes pastel et aux eaux aussi calmes que celles d'un lac. Au fond du golfe, la petite ville de *Porto-Vecchio*, plantée sur un piton de porphyre rose, domine un port qui vécut longtemps du seul commerce du liège récolté dans les forêts de chênes-lièges voisines. Aujourd'hui, c'est surtout un port de plaisance et un centre de tourisme très actif. Heureusement, le collier de plages et de criques qui ceinture le golfe est assez long pour supporter sans dommage les villages de vacances qui y ont poussé depuis quelques années, notamment l'ensemble de *Cala Rossa*.

Au sud du golfe, en face du cap des Cerbicales, quatre petites îles du même nom méritent, si l'on en a le temps, une brève excursion. À moins qu'on ne leur préfère les pins parasols et les rochers rouges de la plage de *Palombaggia*, ou le croissant de sable blanc du golfe de *Santa-Giulia*. Plus bas, le golfe étroit et profond de *Santa-Manza* se découpe dans une campagne dont le calcaire annonce déjà Bonifacio. On y trouve un délicieux petit port, *Gurgazo*, et, depuis peu, un village de vacances.

Au sud-ouest, une côte sauvage

À la pointe sud de la Corse, au fond de l'étroite calanque qui s'ouvre dans la haute falaise blanche rongée par les flots, la marine de *Bonifacio* offre aux plaisanciers le meilleur mouillage de toute l'île, mais les alentours de la ville, d'une aridité quasi désertique, n'incitent guère au tourisme. En revanche, si l'état de la mer le permet, la promenade aux *îles de Lavezzi* et *de Cavallo* ne manque pas d'agrément. Les sportifs regretteront que la pêche sous-marine y soit désormais interdite, car l'eau y est plus transparente que partout

Surgie du passé, Aleria

Au milieu de la plaine orientale, entre les étangs de Diane et del Sale, s'élevait, il y a bien longtemps, sur l'acropole qui domine la lagune d'une cinquantaine de mètres, à pic sur trois côtés, une puissante cité antique. Fondée vers 564 av. J.-C. par les Phocéens, elle s'appela d'abord Alalia et fut, jusqu'à ce qu'ils émigrent à Marseille vers 535, la métropole de ces colons grecs que les Perses avaient chassés d'Asie Mineure. Lorsque les Romains conquièrent la Corse, au IIIᵉ siècle av. J.-C., la ville prit le nom d'Aleria et devint le siège de l'administration romaine. Centre commercial important, au carrefour des grandes voies maritimes, elle resta prospère jusqu'à l'arrivée des Vandales, au Vᵉ siècle, puis sombra tout doucement dans l'oubli.

Lors de son passage en Corse, Prosper Mérimée signala la présence de vestiges antiques, mais c'est seulement à partir de 1954 que le site fut fouillé méthodiquement. Aujourd'hui, on a exhumé tout le centre de la cité romaine, avec son forum, un temple, des thermes, des villas et des maisons de rapport, et il reste encore beaucoup à découvrir.

Il ne faudrait pas en conclure pour autant qu'Aleria est un nouveau Pompéi. Tous les vestiges sont à ras de terre, réduits à des fondations, et l'ensemble n'est pas spectaculaire pour les non-initiés. Le musée Jérôme-Carcopino, installé dans le vieux fort de Matra — un donjon massif, aux salles voûtées, construit en 1572 sur le bord du plateau —, est, en revanche, extrêmement intéressant. On y voit, fort bien

▲ *Cette amusante tête d'un dieu est un bijou carthaginois conservé au musée d'Aleria.*

présentés, de merveilleux objets grecs, étrusques et romains, trouvés dans les fouilles. Ustensiles de fer, de bronze ou de plomb, monnaies, céramiques, bijoux, coupes précieuses, vases en forme d'animaux, ce sont plusieurs civilisations surgies du passé qui défilent sous les yeux éblouis des visiteurs. ■

Corbara et son couvent

Il fut un temps — pas si lointain — où les maisons de Corbara, la « clef de la Balagne », étaient coquettement crépies de blanc, et tout le monde s'accordait à trouver à cette bourgade, bâtie sur un mamelon, face à la mer, un petit air mauresque. Mais la culture des orangers et des citronniers (qui

Dans la rocaille désertique des environs de Bonifacio, le signal de la Trinité
▼ *et son ermitage.*

ailleurs, mais les amateurs de plages désertes et de nature sauvage s'y plairont toujours. À Lavezzi, farouche amas de blocs de granite, deux cimetières conservent les dépouilles des 773 victimes du naufrage de la *Sémillante*, une frégate française de Lorient qui faisait route vers la Crimée et qui, ayant heurté les récifs, coula le 15 février 1855.

Au nord, l'île de Cavallo, plate, déchiquetée et couverte d'un maigre maquis, est restée déserte jusqu'à ce que Castel, ancien rugbyman devenu l'animateur d'un célèbre night-club parisien, y construise un ensemble touristique pour noctambules en mal de voile, de pêche sous-marine, de bronzage intégral et de mondanités.

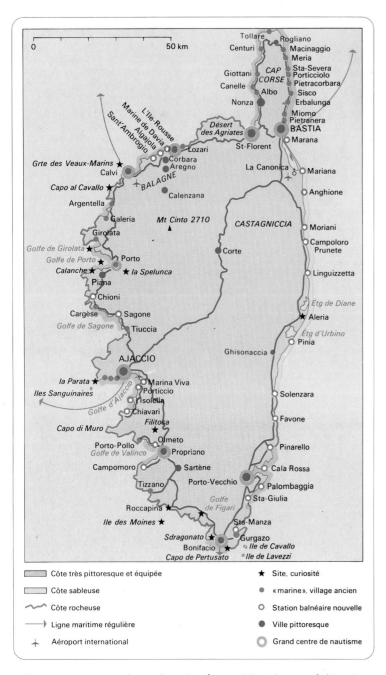

→

atteignent dans cette région privilégiée des dimensions imposantes) n'est plus rentable, le bourg s'est dépeuplé, et les maisons ont perdu leur crépi.

Du temps de la splendeur, il reste néanmoins quelques souvenirs. Deux châteaux ayant appartenu à la puissante famille des Savelli de Guido, comtes de Balagne : le castel de Corbara, en ruine depuis le XVIe siècle, et le castel de Guido, restauré au XIXe siècle, d'où Pascal Paoli désigna à ses adversaires génois l'emplacement où il avait décidé de faire bâtir L'Île-Rousse, la ville nouvelle qui allait déposséder Calvi sinon de son titre, du moins de sa position de capitale provinciale.

Dans le village, l'église de l'Annonciation (XVIIIe s.) possède un maître-autel et une clôture de chœur en marbre polychrome, et, en dehors du village, la chapelle Notre-Dame, que l'on atteint par des marches taillées dans le roc, a une jolie façade baroque.

Un édifice a survécu à la décadence et conservé sa blancheur. À l'écart du bourg, entouré de verdure et dominé par une pyramide de roc aride, le couvent de Corbara dresse son clocher parmi les oliviers. Fondé en 1456 par les franciscains, ruiné par la Révolution, rebâti par les dominicains, il est toujours en activité. Son cloître regorge de fleurs, et sa chapelle abrite les sépultures des Savelli. Les pères en ont fait un cadre de méditation et de culture spirituelle, ouvert aux croyants de toutes les confessions, et même aux incroyants désireux de « prendre un peu de recul » en pleine nature. ■

couleurs sur un ton différent à chaque heure du jour. La campagne, souriante et agréablement vallonnée, s'adosse à un puissant décor de montagnes. La mer est tiède, l'air est parfumé, les mouillages sont sûrs et les poissons nombreux.

Avec de tels atouts, il n'est pas surprenant que la petite ville de *Propriano,* au fond du golfe, soit devenue l'une des plus belles stations balnéaires de l'île. Fréquenté par les Grecs et les Romains, le site fut ensuite délaissé et, il y a deux cents ans, on n'y dénombrait, paraît-il, que quatre maisons. Aujourd'hui, c'est un port de pêche et de commerce actif, encombré de filets qui sèchent et de balles de liège prêtes à être embarquées, ainsi qu'un centre de villégiature plein de vie et de mouvement, où hôtels, villas et villages de toile n'ont pas encore atteint une densité gênante. Sur la côte sud du golfe, *Campomoro* est resté assez isolé pour garder le pittoresque d'un hameau de pêcheurs, *Belvédère* offre, comme son nom l'indique, un admirable point de vue sur le golfe, et les bouillabaisses que l'on déguste au bord de l'eau, à la terrasse des bistrots de *Portigliolo,* sont réputées. Au nord, le petit port de pêche de *Porto-Pollo* possède maintenant plusieurs hôtels et un beau terrain de camping.

Sur la côte occidentale, un golfe en annonce un autre; celui de Valinco précède le superbe golfe d'Ajaccio, un vaste demi-cercle orienté plein ouest, d'une douzaine de kilomètres de diamètre, où les criques succèdent aux promontoires et les plages aux rochers. Au nord, la « corniche ajaccienne », taillée dans le granite, déroule en plein midi son ruban de villas, d'immeubles modernes et de chapelles funéraires, depuis le phare des îles Sanguinaires et la tour génoise de la Parata jusqu'à *Ajaccio.* La « capitale » de la Corse, dont le vaste hémicycle borde le golfe sur plus de 4 km, au pied de collines couvertes de maquis, derrière lesquelles se profile l'imposante silhouette du monte d'Oro, encapuchonné de neige jusqu'au début de l'été, accueille les plaisanciers dans le « mouillage de la Ville », séparé du grand port de commerce par la jetée des Capucins.

Sur la rive est du golfe, entre Ajaccio et le capo di Muro, une série de caps fendent la mer de leur étrave. *Porticcio,* dont la magnifique plage est une des plus fréquentées par les Ajacciens, possède maintenant une station de thalassothérapie ultramoderne, doublée d'un hôtel de grand luxe. Couronnée par la tour de l'Isolella, la punta di Sette Nave (« Sept Navires ») est plus boisée. La marine de *Chiavari* et la plage de Verghia sont bordées d'une splendide pinède. Quant à la punta di a Castagna, admirable promontoire, chapeauté, comme il se doit, d'une tour de guet, elle domine, du haut de ses 90 m, l'écume du ressac qui se brise inlassablement sur les récifs. Au-delà, il n'y a plus de route, et les criques rocheuses aux eaux transparentes, difficilement accessibles, ne sont encore connues que de quelques pêcheurs sous-marins.

En remontant vers le nord par la côte occidentale, on pénètre dans un maquis de chênes-lièges, de cistes, de lentisques, de myrtes, d'arbousiers et d'oliviers sauvages, éventré par la profonde calanque du golfe de Figari, à l'entrée de laquelle veille une tour génoise. En été, on est assommé par une lumière et une chaleur positivement africaines. La senteur, elle, reste corse. Au col de Roccapina, on est surpris par des rochers de granite rose aux formes tourmentées — parmi lesquels un célèbre « lion », dominant une belle plage de sable blanc — que l'on jurerait sortis du même moule que ceux de Ploumanac'h, en Bretagne. La côte, rocheuse et déchiquetée, est déserte. De Bonifacio au golfe de Valinco, le seul point habité est la petite marine de *Tizzano,* nichée au fond d'une anse commandée par un vieux fort. Les environs recèlent le plus beau dolmen de la Corse et les alignements de menhirs les plus importants de toute la Méditerranée.

Les grands golfes de l'Ouest

Le golfe de Valinco réunit toutes les séductions susceptibles d'attirer les touristes. Entre la vieille tour génoise de la punta di Campomoro, qui surveille l'entrée de la baie, et le rocher blanc de Porto-Pollo, qui lui fait face, la côte n'est qu'une succession de criques et de plages baignées par une lumière qui fait chanter les

la Corse
des citadelles

▲ *Sous la muraille,*
un passage voûté
permet de rejoindre
la mer.

*B*âtie au sommet
d'une blanche falaise
rongée par les flots,
entre la mer
et une profonde calanque
qui constitue
le plus sûr des mouillages,
Bonifacio
paraissait inexpugnable,
et seule la ruse put venir à bout
des pirates
qui en avaient fait
leur repaire.

◀ *Les vieux murs*   *Au pied* ▶
  de Bonifacio,   *de la ville haute,*
  suspendus   *les quais*
  au-dessus du vide.   *de la Marine.*

▲ *Perché sur un tertre
au fond de son golfe,
Porto-Vecchio.*

Dans la citadelle de Bastia, ▶
*l'ancienne cathédrale Sainte-Marie,
reconstruite au XVIIᵉ siècle
dans le style classique.*

4. Citadelles corses

Témoins de la longue occupation génoise,
les citadelles édifiées par les conquérants
dans les principales villes côtières
étaient moins destinées à lutter
contre un agresseur venu de la mer
qu'à contenir les Corses refoulés dans leurs montagnes.

Typiquement génoise, ▶
la forteresse ronde
de Saint-Florent.

6. Citadelles corses

▲ *Baignée par la mer sur trois côtés,*
l'invincible citadelle de Calvi,
symbole de la puissance génoise.

▲ *La citadelle
et la vieille ville
où pointe le clocher
de la cathédrale.*

◀ *Sous l'œil
vigilant
d'une échauguette,
la plage léchée
par le ressac.*

8. Citadelles corses

À l'extrémité d'un promontoire
qui s'avance dans les eaux bleues du plus grand golfe de la Corse,
la modeste citadelle d'Ajaccio évoque discrètement le souvenir d'une époque
où la ville n'était pas encore devenue
la célèbre «cité impériale» qui vit naître Napoléon.

Dans un amphithéâtre de montagnes, ▶
Corte, capitale historique de la Corse,
s'étage sous sa citadelle.

▲ *Le Mouillage de la Ville,*
à l'entrée duquel on distingue à peine
la vieille citadelle d'Ajaccio.

À 175 km de Nice, au carrefour des anciennes routes maritimes qui allaient de l'Afrique à la Gaule et de l'Italie à l'Espagne, jaillit des flots bleus de la Méditerranée «une sorte de montagne escarpée, sauvage, aride, aux formes dures, aux arêtes aiguës : c'est la Corse» (Maupassant).

Cyrnos des Grecs, *Corsica* des Romains, l'«île de Beauté» est (après la Sicile, la Sardaigne et Chypre) l'une des quatre plus grandes îles de la Méditerranée et, de toutes, la plus montagneuse. Ses 1 000 km de côtes frangées d'écume, émaillées de criques de sable fin, enserrent un relief bouleversé, anarchique, balafré de gorges étroites, percé de vallées en cul-de-sac. Les cimes sont encore blanches de neige que l'on se baigne déjà sur les plages, et leurs pentes, suivant l'altitude, sont couvertes de pâturages, de forêts touffues ou de maquis qu'embaument le ciste, le myrte et la lavande. À l'est, entre la montagne et la mer, court une plaine au rivage plat, longtemps abandonnée aux moustiques, maintenant parsemée d'arbres fruitiers, de vignes et de camps de vacances.

L'ennemi qui vient de la mer

Pour les Corses, la mer omniprésente — car, même quand on ne la voit pas, on la sent toute proche — a toujours été une source de soucis. C'était d'elle que venait le danger sous la forme d'envahisseurs, et les insulaires prirent le parti de lui tourner le dos, de se faire bergers plutôt que marins, et de se réfugier dans le chaos de leurs montagnes où chaque village peut devenir forteresse. Ce pays cloisonné, où la vie est aussi difficile que les communications, n'est pas fait pour développer la notion de communauté. Les Corses sont fiers, ombrageux, farouchement individualistes, et leur histoire est une continuelle alternance de résistance contre les envahisseurs et de luttes intestines.

Après les Grecs, les Étrusques, les Syracusains et les Carthaginois, qui s'étaient contentés de s'établir sur les côtes, vinrent les Romains, qui s'efforcèrent de pénétrer à l'intérieur de l'île pour la soumettre. Les Corses défendirent leur liberté avec un tel acharnement que la conquête dura près de cent ans. Après six siècles de paix romaine, l'effondrement de l'Empire amena les Vandales, qui firent peu de dégâts, puis les Byzantins de Justinien Ier, qui établirent pour deux siècles un régime d'oppression, de misère et d'anarchie. Le pape Grégoire le Grand tenta de pacifier l'île en y créant six évêchés et, en 754, Pépin le Bref confirma la suzeraineté du Saint-Siège sur la Corse. Suzeraineté plus théorique que réelle, mais que les souverains pontifes ont revendiquée jusqu'en 1905, année où le gouvernement français dénonça le Concordat de 1801.

Au IXe siècle, les Sarrasins refoulèrent une fois de plus les Corses dans leurs montagnes, en s'implantant dans quelques ports et en mettant les côtes en coupe réglée. Après deux cents ans de rapines, ils furent expulsés de l'île par les flottes de deux puissances maritimes, alliées pour l'occasion à la demande du pape : les républiques de Pise et de Gênes. Celles-ci estimèrent avoir acquis par là des droits qui allaient faire l'objet d'une longue et sanglante rivalité.

Grégoire VII commença par favoriser les Pisans en déléguant ses pouvoirs sur la Corse à l'évêque de Pise. Ce fut le début d'une des périodes les plus heureuses de l'histoire corse, mais elle ne dura guère. Gênes, pour s'assurer la maîtrise de la mer Tyrrhénienne, qui sépare la Corse de l'Italie, s'infiltra progressivement dans l'île. Après la conquête de la puissante forteresse de Bonifacio, elle imposa en moins de cent ans sa domination à toute l'île. Elle y resta cinq siècles, en dépit de l'opposition constante des insulaires, rendue stérile par les luttes de clans d'une noblesse féodale plutôt bornée.

Une fois les Pisans éliminés, Gênes se trouva en conflit avec les rois d'Aragon, que le pape Boniface VIII avait investis de ses droits sur l'île. Avec l'aide de résistants corses, les Aragonais tentèrent de s'imposer, mais, leurs alliés ne songeant qu'à s'entre-déchirer, ils finirent par se décourager. Ensuite vinrent les Français qui, sous le règne de Henri II, s'emparèrent de l'île, mais ne tardèrent pas à la restituer aux Génois (traité du Cateau-Cambrésis). Si l'on ajoute que les corsaires barbaresques faisaient peser une menace constante sur les côtes, on conçoit que l'occupation de la Corse ne fut pas, pour les Génois, une opération de tout repos.

La république maritime, qui avait d'autres soucis en tête (notamment sa rivalité avec Venise), afferma la Corse à de puissantes compagnies privées, la Maona d'abord, puis, au XVe siècle, la Banque de Saint-Georges. Despotique, cette dernière traita l'île en pays conquis. Pour loger ses garnisons elle édifia de puissantes citadelles dans les principales villes côtières, et pour surveiller la mer elle hérissa le rivage de tours de guet. L'«île de Beauté» devint une forteresse dont les malheureux habitants étaient les prisonniers.

Bonifacio, construite pour résister aux sièges

Bonifacio, la plus ancienne des citadelles corses, est surtout impressionnante quand on y arrive par la mer. À l'extrême sud de l'île, dans une région désolée, couverte d'un maigre maquis, une blanche falaise de calcaire — la seule de cette île aux roches rouges — domine de plus de 60 m la mer qui écume à ses pieds. Au sommet de la muraille rongée par les flots et feuilletée comme un gâteau, un rempart dont on constate, en s'approchant, qu'il est fait d'une rangée

Pascal Paoli, « père de la patrie »

Si Napoléon n'avait pas existé, Pascal Paoli serait, à coup sûr, le plus célèbre des Corses, bien que les dictionnaires ne se montrent pas généreux envers ce grand patriote.

Paoli voit le jour en 1725, à Morosaglia. Tout jeune, il connaît un premier exil en suivant son père, Hyacinthe Paoli, ex-ministre du roi Théodore, qui, expulsé par les Français, se réfugie à la cour du roi des Deux-Siciles. Il fait de brillantes études de droit et d'économie politique, puis entre, comme sous-lieutenant, dans l'armée des Deux-Siciles.

Les Corses de l'intérieur, indépendants de fait, ont à leur tête Clément Paoli, le frère aîné, honnête homme qui ne se sent pas l'envergure politique nécessaire pour mener la lutte à bien. En 1755, sur sa proposition, on fait appel à Pascal, qui, à trente ans, est proclamé « général de la nation ». Paoli va désormais consacrer sa vie à sa patrie, allant jusqu'à rester célibataire pour mieux la servir.

Après avoir rétabli l'ordre dans la Corse libre, interdisant notamment la vendetta, le jeune homme d'État, pétri des principes philosophiques de l'époque, rédige une constitution. L'esprit avancé de celle-ci surprend quand on songe qu'elle est antérieure à la Constitution américaine et à la Révolution française. Elle fait de la Corse un État démocratique, où une assemblée élue exerce le pouvoir législatif, séparé de l'exécutif et du judiciaire. Certains articles de notre Code civil s'en inspireront plus tard.

Parallèlement, Paoli fait ouvrir une école dans presque chaque village, et crée, à Corte, une université où l'enseignement est dispensé par des franciscains. La renommée du sage et vertueux Paoli s'étend dans toute l'Europe. Voltaire, Rousseau, Frédéric le Grand, William Pitt, Catherine de Russie lui prodiguent des marques d'estime.

Lorsque, en 1768, Gênes cède — ou, plutôt, vend — la Corse à Louis XV, Paoli déclare la guerre à la France. Après plusieurs succès militaires, ses troupes sont écrasées à Ponte-Nuovo, et Paoli s'exile en Angleterre, dont il admire le libéralisme.

La Révolution française célébrant ses vertus (on le surnomme « le Washington corse »), Paoli, sacré « père de la patrie », rentre dans son

▲ À L'Ile-Rousse, qu'il fonda
pour concurrencer Calvi,
le buste de Paoli,
« général de la nation ».

*Au pied des remparts
qui dominent la calanque de Bonifacio,*
▼ *un voilier s'apprête à franchir le goulet.*

continue de maisons, serrées les unes contre les autres comme des poules sur un perchoir. Aucun accès visible, à l'exception d'un vertigineux escalier de cent quatre-vingt-sept marches, taillé dans le roc à 45 degrés. (On raconte — sans trop y croire — qu'il aurait été exécuté en une nuit par les sapeurs du roi d'Aragon, lors du siège de 1420.) À l'ouest, une forteresse couronne la falaise.

Le bateau, après un quart de tour à droite, pique vers le rivage..., et l'on découvre alors une profonde calanque, parallèle à la côte que l'on vient de suivre, de 1 600 m de long et 150 de large. Au fond, la ville basse, avec ses quais bordés de restaurants à langoustes — la spécialité du pays —, ses hôtels et sa marine (petit port bien abrité).

Le Bonifacio historique occupe les deux tiers de l'étroite bande de terre qui sépare la calanque de la pleine mer. C'est la ville haute, protégée par d'imposantes murailles blanches, édifiées au XIIIᵉ siècle par les Génois. Depuis 1854, on peut y accéder en voiture par une route carrossable et la porte Neuve, mais il est plus pittoresque d'y monter à pied depuis le port, par le col Saint-Roch et la rampe pavée, abrupte, qui grimpe jusqu'à la Vieille Porte et son pont-levis. Resserrée entre des remparts de 3 m d'épaisseur et la citadelle, la vieille ville est un dédale de rues tortueuses, reliées par des escaliers et des passages voûtés, et bordées de hautes maisons soutenues par de curieux arcs-boutants : ce sont, en fait, les supports des canalisations qui conduisent, du toit des maisons à des citernes, l'eau de pluie, vitale en cas de siège.

Sainte-Marie-Majeure, la plus vaste des églises de la vieille ville, est de style roman, mais elle a été très remaniée. Sa loggia abrita longtemps les délibérations des notables, et le luxe de la décoration intérieure évoque la richesse passée de Bonifacio. Il faut voir aussi la maison du comte Cattaciolo, où Charles Quint passa une nuit en 1541, les quatre silos à blé de la place Grandval (toujours pour les cas de siège) et la terrasse de la Manichella, d'où l'on peut, par beau temps, apercevoir la Sardaigne, distante seulement de 12 km.

pays. Rendu, à tort, responsable de la désastreuse expédition de Sardaigne, Paoli fait appel aux Anglais, et c'est le siège de Calvi par Nelson. Déclaré «traître à la patrie» par la Convention, il part une nouvelle fois pour l'Angleterre. Cette fois, l'exil est définitif : il meurt à Londres le 17 octobre 1807. ■

Un collier de tours pour surveiller les Barbaresques

Il suffit de parcourir quelques kilomètres le long du littoral corse pour découvrir, plantée sur un cap ou perchée sur un promontoire, une tour ocre ou rougeâtre, ronde ou carrée, encore fièrement dressée ou

▲ *Le bastion de France, un des rares vestiges de la citadelle de Porto-Vecchio.*

plus ou moins délabrée. C'est l'une des 91 survivantes des tours de guet dont les Génois jalonnèrent la côte corse au XVIe siècle.

La garnison de ces tours, composée de cinq ou six guetteurs, avait pour mission de signaler l'apparition à l'horizon de toute voile suspecte, car les corsaires barbaresques se livraient à des razzias sur les côtes. Aussitôt l'alarme donnée, les paysans et les bergers regagnaient précipitamment leurs villages de la montagne, où les milices se rassemblaient en hâte pour se porter au secours du point menacé. Ceux qui n'avaient pas le temps de rentrer chez eux se réfugiaient dans la tour, dont les réserves de vivres permettaient de soutenir un siège en attendant l'arrivée des renforts.

Deux types de signaux étaient

Depuis 1963, la citadelle proprement dite est occupée par la Légion, et les visites y sont réglementées. On y découvre la calanque sous un angle plongeant impressionnant, et un étonnant cimetière marin, fouetté par le vent. Autre curiosité : le puits Saint-Barthélemy, profond de 65 m et ceinturé d'un escalier en spirale; mais surtout, on y admire la sobre église Saint-Dominique, édifiée par les Templiers au début du XIIIe siècle, dans le style gothique provençal, avec une nef voûtée d'ogives d'un type très rare en Corse. L'intérieur est décoré de statues baroques en bois sculpté, appartenant aux confréries de la ville. Malgré leur poids considérable, ces statues sont portées à bras d'hommes durant la procession du vendredi saint, au cours de laquelle les pénitents de chacune des cinq confréries se relaient pour faire parcourir les rues de la vieille ville à l'effigie de leur saint patron.

L'histoire de Bonifacio remonte peut-être à la plus haute antiquité, puisque l'on évoque, à son sujet, *l'Odyssée*. «Nous entrons [c'est Ulysse qui parle] dans ce port bien connu des marins : une double falaise à pic, sans coupure, se dresse tout autour, et deux caps allongés, qui se font vis-à-vis au devant de l'entrée, en étranglent la gorge [...]. Pas de houle en ce creux, pas de flot, pas de ride. Partout un calme blanc.» Les analogies sont frappantes, mais allez donc savoir, avec Homère!

Il n'est pas non plus tout à fait prouvé que ce soit le marquis de Toscane, Boniface, qui ait fondé la ville au début du IXe siècle, au retour d'une expédition en Afrique. En revanche, il est certain que les habitants vécurent longtemps de piraterie. Inexpugnables dans leur repaire, ils auraient pu continuer pendant des siècles à écumer les mers si leur intempérance ne leur avait pas fait relâcher leur vigilance : en 1187, alors que d'amples libations fêtaient un mariage, les Génois s'emparèrent par surprise de Bonifacio. Quelques années plus tard, ils expulsèrent tous les habitants et les remplacèrent par des colons génois (on parle toujours, à Bonifacio, un patois ligure très différent du corse), afin d'asseoir leur domination sur la région.

Les nouveaux occupants se retranchèrent solidement derrière les murailles, qu'ils regagnaient chaque soir avant la nuit. Que risquaient-ils, d'ailleurs, puisque la forteresse, imprenable par la mer, est séparée du reste de l'île par 20 km de maquis désert? Pourtant, en 1420, Alphonse V, roi d'Aragon, après s'être emparé de Calvi, mit le siège devant la ville. Il se heurta à une résistance opiniâtre, car les habitants jouissaient de nombreux privilèges et se battaient pour les conserver. Incapable de les réduire, Alphonse V reprit le chemin de l'Espagne, renonçant à toute prétention sur un pays qui, en définitive, ne lui avait valu que des déboires, et la suprématie génoise en Corse s'en trouva affermie pour plusieurs siècles. En 1528, un ennemi autrement dangereux attaqua la ville : la peste, qui tua deux Bonifaciens sur trois.

Bonifacio subit un second siège en 1553. Les Turcs, alliés aux Français à la grande indignation du monde chrétien, réussirent par la ruse à s'emparer de la ville. Mais le traité du Cateau-Cambrésis rendit la place aux Génois. «D'un trait de plume, commente Michelet, Henri II perdit ce qu'on n'aurait pu lui ôter en cent ans de revers : deux cents places fortes, nos amis de Sienne et de Corse, abandonnés, livrés.» Et l'historien Jacques Grégori de conclure : «Alors, les vautours génois s'abattirent sur la Corse. Les impôts furent doublés, le droit d'héritage supprimé, les fonctions publiques fermées aux Corses. Les mots : arrestations, confiscations, bannissements, condamnations à mort, tortures, furent murmurés comme un interminable rosaire...»

Si l'on excepte le séjour que Napoléon Bonaparte y fit en 1793 pour préparer la désastreuse expédition de Sardaigne, le rôle historique de Bonifacio était terminé.

Porto-Vecchio, une forteresse pour rien

Au nord de Bonifacio, la côte orientale est encore rocheuse. D'abord couverte d'un maquis qui cède progressivement la place aux chênes-lièges, elle est en train de s'éveiller d'un sommeil séculaire, grâce aux attraits de son rivage découpé, de ses plages de sable fin et de son arrière-pays fortement accidenté.

Le foyer de cet essor touristique, Porto-Vecchio, tire l'essentiel de sa séduction d'une situation unique, au fond d'un golfe de 5 km de long, véritable mer fermée (de la marine de Porto-Vecchio, on ne voit pas le large), ourlée de plages, de criques et de marais salants.

La région, relativement épargnée par les promoteurs, a gardé le charme qu'elle avait au début du siècle, lorsque le premier des prix Goncourt, John-Antoine Nau, qui vécut à Porto-Vecchio de 1909 à 1916, écrivait : «Le golfe lumineux étalait ses trésors de pierres précieuses, vertes, azurées, solaires, mêlées à des fleurs charmantes — bleuets, iris, liserons — sous la brise gaie qui le givrait d'une poussière de diamants. Les montagnes, rocheuses, veloutées de forêts, faisaient à ces richesses fluides un somptueux écrin pailleté d'ors versicolores par cette radieuse matinée. La petite ville de Porto-Vecchio, perchée sur sa colline, dardait un clocher frêle et profilait ses bastions chaudement ambrés et une idée mauve...»

La colline dont parle l'écrivain a quelque 70 m de hauteur, et le porphyre rose y abonde. En 1539, les Génois, désireux d'établir une base entre Bonifacio et Bastia, tout en réduisant le repaire de pirates niché au fond du golfe, y édifièrent une citadelle. Comme celle de Bonifacio, elle fut peuplée de Génois. Mais le site était insalubre. Les deux rivières qui se jettent dans le golfe entretenaient de nombreuses

utilisés : un grand feu, visible des tours les plus proches, ou la plainte sourde et portant loin d'une imposante conque marine appelée *colombo*.

Ces 91 tours semblent avoir été édifiées à partir de 1512, région après région. Celles qui entourent Porto-Vecchio, par exemple, furent construites entre 1541 et 1546. Les plus récentes sont celles de la région d'Ajaccio, la dernière datant de 1608. On en compte 5 dans le Sud, 44 le long de la côte ouest jusqu'à Saint-Florent, 20 autour du cap Corse, et 22 sur la côte orientale.

La somme nécessaire à la construction des tours était fournie par la Banque de Saint-Georges, mais uniquement à titre d'avance. Chaque bourg ou groupe de villages devait rembourser, par un impôt supplémentaire, les frais

d'édification de sa tour, comme il devait en assurer la garde. Les Génois se chargeaient de la surveillance, et la discipline était extrêmement stricte.

L'architecture des tours ne fut jamais unifiée. La plupart sont rondes, légèrement coniques, mais certaines sont carrées, et leur hauteur varie de 12 à 17 m pour un diamètre de 8 à 10 m. On y pénétrait le plus souvent par le premier étage, généralement à l'aide d'une échelle qui était ensuite remontée. Le rez-de-chaussée, voûté, sans communication avec l'extérieur, servait de magasin de vivres et de munitions (fournis, les uns comme les autres, par la population), et le sommet était occupé par une plate-forme. Celle-ci était généralement crénelée et parfois munie de mâchicoulis. ■

▲ *Sentinelle postée
à l'extrême pointe du cap Corse,
la tour génoise de Tollare.*

*Les embarcations de plaisance
du club nautique de Bastia
▼ devant les maisons de la vieille ville.*

colonies de moustiques, et les Génois furent décimés par la malaria. C'est pourquoi, en 1546, Gênes transforma la ville en bagne et obligea des paysans corses à y résider.

De la citadelle inutilisée, il ne subsiste aujourd'hui que des pans de murailles et cinq bastions, dont certains sont transformés en habitations. La ville actuelle, séparée de sa marine par une oliveraie, se compose d'une seule rue et d'un réseau de ruelles bordées de hautes maisons de granite gris. Malgré un assez florissant commerce du liège, elle végéta jusqu'à la fin de la dernière guerre : alors vinrent les Américains qui, à grand renfort de D.D.T., la débarrassèrent de ses anophèles. Hôtels et villages de vacances se mirent à pousser le long du golfe, le plus important étant, au nord, l'ensemble touristique de *Cala Rossa*.

Bastia a retrouvé son rang

À l'extrémité nord de la plaine orientale et de ses vergers, dans un cadre de montagnes, au pied de la péninsule du cap Corse qui se dresse comme un doigt tendu vers la France, Bastia, face à l'île d'Elbe, commande le détroit toscan qui ferme la mer Tyrrhénienne.

Comme une reine de jeu de cartes, la Corse est coupée en deux par une diagonale de crêtes allant à peu près de Girolata, au nord-ouest, à Solenzara, au sud-est. Mais, contrairement à la carte à jouer, ses deux moitiés sont bien dissemblables. Durant l'occupation génoise, elles formèrent deux provinces, baptisées — par référence à Bastia — « En deçà des monts » et « Au-delà des monts », la première riche et relativement évoluée, la seconde aride et austère.

La cathédrale de Nebbio

Lorsque les Barbaresques ravagèrent la ville antique de Nebbio, ils ne laissèrent debout que la cathédrale, Sainte-Marie-de-l'Assomption. Elle resta le centre religieux de la région et ne fut définitivement abandonnée qu'au XVIe siècle, quand son évêque et ses fidèles furent chassés par la malaria. Construite dans un calcaire blanc auquel le soleil a donné une belle patine dorée, c'est l'un des témoignages les plus représentatifs du style pisan. Prosper Mérimée, qui visita la Corse en 1839 en tant qu'inspecteur général des monuments historiques, ne la croyait pas antérieure à la fin du XIIe siècle. La façade présente deux étages d'arcatures superposées d'une sobre élégance. Un clocher carré a

▲ *Seule survivante
d'une ville anéantie,
la cathédrale romane de Nebbio.*

malheureusement disparu au début du XIXe siècle. À l'intérieur, séparé en trois nefs par des colonnes aux chapiteaux sculptés d'animaux, on remarquera surtout la statue en bois doré de saint Flor, soldat romain et martyr, dont les restes momifiés, revêtus du costume de légionnaire, sont exposés dans une châsse de verre. ■

Des grottes, des panoramas, des nacres

Il serait dommage de quitter Bonifacio sans visiter les *grottes du Sdragonato* et *Saint-Antoine*. On y accède en bateau, et la lumière — en grande partie réfléchie par les sables blonds du fond, car les voûtes sont basses — évoque un aquarium.

Aux environs de la ville, deux

Capitale de l'« En deçà des monts », métropole génoise, chef-lieu de l'éphémère département du Golo en 1796, Bastia, ravalée au rang de sous-préfecture en 1811, lorsque les deux départements corses furent fusionnés, avait une revanche à prendre sur Ajaccio. C'est chose faite. Depuis 1975, elle est préfecture de la Haute-Corse. « Et, font remarquer les Bastiais, ce n'est que justice pour la ville la plus peuplée de Corse, la plus industrieuse, la plus intellectuelle aussi, plus soucieuse de travail et des choses de l'esprit que de gloire militaire. » À quoi les Ajacciens — et beaucoup d'autres Corses avec eux — répliquent que Bastia est une cité italienne égarée sur l'île...

Prise entre mer et montagne, à proximité de l'Italie et de la France, la ville est vouée au commerce. Pour protéger le port, les Génois commencèrent, vers 1380, par construire une grosse tour ronde (en italien, *bastia*, « donjon »). Un siècle plus tard, ils transformèrent le quartier neuf de Terra Nuova en citadelle en l'entourant de remparts, puis ils y édifièrent le palais des gouverneurs génois, qui résidèrent à Bastia jusqu'en 1766. Le palais abrite maintenant les collections du nouveau musée d'Ethnographie corse, un musée de la Mer, des expositions d'artisanat et un Mémorial de la Résistance qui expose, entre autres souvenirs, la tourelle du *Casabianca*, le sous-marin qui, en 1943, fit la navette entre l'Algérie et la Corse.

La citadelle enferme deux églises. L'église Sainte-Marie, ancienne cathédrale, possède un groupe de l'Assomption en argent, datant du XVIIIe siècle, qui est porté dans les rues lors de la procession du 15 août. La chapelle Sainte-Croix est du XVIe siècle, mais elle a été décorée, au XVIIIe siècle, d'une profusion de stucs dorés qui la font ressembler aux sanctuaires baroques de l'Amérique du Sud. Elle doit son nom à un crucifix noir qui aurait été trouvé en mer.

Devant le vieux port, dans la ville basse ou Terra Vecchia, l'église Saint-Jean-Baptiste, qui date du XVIIe siècle, a également une décoration intérieure extrêmement fastueuse.

Tandis que la vieille ville — Terra Vecchia et Terra Nuova — offre le charme désuet de ses ruelles tortueuses, éternellement pavoisées par les lessives, les jeunes Bastiais se dorent au soleil sur la vaste plage de la Marana ou déambulent dans la ville nouvelle, sur la place Saint-Nicolas. Ce mail bordé de palmiers et de platanes longe le nouveau port, fermé par une jetée.

La promenade de la corniche supérieure (30 km) permet d'avoir une vue panoramique sur Bastia et sur l'archipel toscan.

Saint-Florent, une forteresse disputée

À la base du cap Corse, sur la côte occidentale, dans une position symétrique à celle qu'occupe Bastia sur la côte orientale, l'agréable petit port de Saint-Florent s'étire paresseusement au ras d'un golfe si bien abrité par un amphithéâtre de montagnes qu'on le prendrait pour un lac. La région, assez fertile, produit de l'huile, des fruits et du vin (patrimonio), mais beaucoup de ses pittoresques cultures en terrasses sont aujourd'hui abandonnées, et les oliviers centenaires dépérissent faute de soins.

Saint-Florent fut édifiée en 1440 par les Génois, à 1 km de l'antique cité romaine de Nebbio, rasée au XIIIe siècle par les Sarrasins. La Banque de Saint-Georges la couronna de la traditionnelle forteresse, édifice circulaire doté d'un escalier central assez inattendu.

Contrairement à celle de Porto-Vecchio, cette citadelle a servi. En 1553, le roi de France Henri II, alors en guerre contre Charles Quint, allié de la république de Gênes, se laisse convaincre par le patriote corse Sampiero Corso de chasser les Génois de l'île. Avec l'aide de la flotte turque, il envoie à cet effet une expédition, commandée par le maréchal de Thermes. Accueilli comme un libérateur par les Corses, celui-ci s'empare de Saint-Florent (comme de toutes les places fortes, à l'exception de Calvi), mais, un an après, à la suite d'un siège épuisant, il doit céder celle-ci à l'amiral génois Andrea Doria.

Deux cent quarante ans plus tard, en 1793, la citadelle n'avait rien perdu de son importance stratégique. Les Anglais, appelés par Paoli pour chasser les Français (revenus depuis 1768), occupèrent l'île, et Horace Nelson déclara : « Donnez-moi le golfe de Saint-Florent et deux frégates, et pas un vaisseau ne sortira de Marseille ou de Toulon. » Le futur amiral, influencé par le climat, exagérait un peu...

Aujourd'hui, la citadelle de Saint-Florent ne veille plus que sur le va-et-vient des langoustiers aux voiles rouges et des embarcations de plaisance, de plus en plus nombreuses. La beauté de son site, la sécurité de son port, les ressources de son arrière-pays, sa plage et son école de plongée sous-marine sont en train de faire d'elle une grande station balnéaire.

Calvi, où naquit — peut-être — Christophe Colomb

Calvi, sur la côte occidentale, est le port corse le plus proche de la France (à moins de 6 heures en bateau de Nice). Heureux ceux qui découvrent l'« île de Beauté » en arrivant à Calvi par la mer, au coucher du soleil! Devant eux une plage bordée de pinèdes déroule ses kilomètres de sable fin au pied des plus hauts sommets de l'île : monte Grosso, monte Corona et, le plus élevé, monte Cinto (2 710 m). Comme Napoléon, qui « sentait » la Corse avant de la voir, les voyageurs ont senti, bien avant de débarquer, l'odeur du maquis. Il leur reste à en découvrir les couleurs — vert, jaune, mauve, rouille —, qui, selon les saisons, viennent ourler le bleu de la mer.

points de vue offrent de magnifiques panoramas sur le détroit des bouches de Bonifacio et la Sardaigne, toute proche, dont on distingue les maisons blanches : à l'ouest, dans les terres, l'*ermitage de la Trinité,* construit sur une terrasse agréablement ombragée par des chênes verts et des oliviers ; à l'est, sur la côte, le *phare de Pertusato,* d'où l'on découvre, en plus, la presqu'île de Bonifacio et les îles de Lavezzi, de San-Baïnzo et de Cavallo.

Dans le *golfe de Santa-Manza* se pratique encore la pêche des nacres. Ces coquilles allongées (certaines peuvent atteindre de 50 à 70 cm) sont fichées dans le sable de la baie, à quelques mètres de profondeur, et leur cueillette ne présente guère de difficultés pour un plongeur un peu entraîné. ∎

▲ *Un antre de géant dans la falaise feuilletée de Bonifacio : la grotte de Sdragonato.*

Aux environs de Calvi

Aux environs immédiats de Calvi, il ne faut pas manquer la promenade au *phare de Rivellata,* d'où l'on découvre la citadelle sous un angle nouveau, ni de monter jusqu'à la *chapelle de la Madona della Serra,* construite au sommet d'une colline : de la terrasse, on a la ville à ses pieds, et la vue s'étend, au-delà du golfe, sur toute la chaîne centrale. Des vedettes assurent la visite de la *grotte des Veaux-Marins,* où la réfraction des rayons du soleil produit des effets très curieux. Cette grotte doit son nom aux phoques moines qui y trouvaient autrefois asile. Un asile bien incertain, puisque, deux fois l'an, les pêcheurs venaient les punir, harpon en main, des déchirures causées à leurs filets. ∎

Vus de la citadelle, le golfe de Calvi, sa plage,
▼ *ses pinèdes et ses montagnes.*

À l'extrémité nord de la plage, la marine et son port se blottissent au pied d'un promontoire de granite rose de 80 m de hauteur. Au sommet de cette balise, plantée entre le golfe de Calvi et celui de Rivellata, se dresse la citadelle, bâtie en 1268 par la république de Gênes et renforcée par la Banque de Saint-Georges.

Vaste rectangle de quelque 250 m sur 300, cette forteresse aux bastions puissants englobe la vieille ville aux ruelles étroites, tortueuses et escarpées. L'ancien palais du gouverneur est maintenant une caserne d'où les parachutistes de la Légion peuvent contempler l'un des plus beaux panoramas de la Méditerranée.

Le point le plus élevé du rocher est occupé par l'église Saint-Jean-Baptiste, qui date du XIIIᵉ siècle. Incendiée lors de l'expédition française de 1553, elle fut restaurée vingt-cinq ans plus tard. Son Christ des Miracles, exposé sur les remparts, aurait incité les assiégeants à lever le blocus. Quant à la Vierge du Rosaire (d'origine espagnole), elle passe pour avoir rendu aveugle une vieille femme qui, chargée de la changer de robe, avait osé jeter un coup d'œil sous sa chemise...

La ville haute abrite aussi la « maison de Christophe Colomb ». Calvi dispute en effet à Gênes l'honneur d'avoir vu naître le découvreur de l'Amérique. Rue Colombo, sur un pan de mur, une plaque indique : « Ici est né, en 1441, Christophe Colomb, immortalisé par la découverte du Nouveau Monde, alors que Calvi était sous la domination génoise. Mort à Valladolid, le 20 mai 1500. »

Vers les Sanguinaires

On ne saurait séjourner à Ajaccio sans faire la promenade des îles Sanguinaires, qui doivent leur nom à la couleur qu'elles prennent au coucher du soleil. On y va en bateau (18 km depuis le port d'Ajaccio), ou en suivant la côte vers l'ouest. La magnifique *route en corniche*, taillée dans le granite, était déserte il y a peu d'années encore, et l'on n'y voyait que quelques chapelles funéraires. Parmi celles-ci, la *chapelle des Grecs* (ou du Mont-Carmel), fondée en 1632 par la veuve de Paul-Émile Pozzo di Borgo, qui servit de lieu de culte aux Grecs de Paomia. En 1676, en effet, des Grecs du Péloponnèse, fuyant les Turcs, vinrent s'installer, avec l'accord de Gênes, dans un village de montagne, au-dessus de Cargèse;

▲ *Tout au bout de la corniche ajaccienne, le chapelet des îles Sanguinaires sépare les golfes d'Ajaccio et de Sagone.*

ils prospérèrent si bien que les Corses voisins en prirent ombrage et les chassèrent en incendiant leurs maisons.

Tout le long de la route s'étalent de nombreuses plages, mais le littoral est aujourd'hui envahi par des hôtels et des immeubles, et il semble que la municipalité d'Ajaccio ait quelque mal à endiguer le raz de marée des promoteurs. Il est vrai que la population d'Ajaccio a doublé en vingt ans.

Heureusement, la *pointe de la Parata,* surmontée de sa tour génoise, et la perspective sur le chapelet des îles Sanguinaires n'ont pas changé. Le plus grand de ces quatre îlots déchiquetés, la Grande Sanguinaire, qui porte un phare, est resté tel que l'a décrit Alphonse Daudet, qui y séjourna en 1863 : « Figurez-vous une île rougeâtre et

Aux portes de la citadelle d'Ajaccio, la vieille ville fut longtemps
▼ *habitée par les seuls Génois.*

En fait, Colomb n'a parlé de ses origines que dans son testament, et pour se déclarer génois. Mais Calvi dépendait alors de la république ligure. De plus, la rue Colombo était à l'origine la rue du Fil, et le père de Colomb était tisserand. Autre argument : l'illustre navigateur dédia ses premières découvertes à des saints très vénérés en Corse. Citons encore le manuscrit où, dans une élégie, un poète fait regretter à Colomb d'avoir abandonné sa Calvi natale. Ce manuscrit, découvert en 1886 à Monticello par l'abbé Giorgi, remonte au XVIe siècle. Moins de cent ans, donc, après la mort de l'explorateur.

Pour que l'on considère comme plausible qu'un natif de Calvi se déclare génois, il faut que, entre la ville et la république maritime de Gênes, située à moins de 200 km, les liens aient été bien étroits. Une inscription les rappelle à l'entrée de la citadelle, autrefois défendue par un pont-levis et une herse : *Civitas Calvi semper fidelis* (« Calvi, cité toujours fidèle »). Fidèle aux Génois qui l'avaient édifiée pour devenir la capitale militaire de la Balagne — le « jardin de la Corse » —, à côté d'Algajola, capitale administrative. Il est vrai que sa population était en grande partie d'origine génoise, comme celle de Bonifacio.

En 1553, quand les Français du maréchal de Thermes attaquèrent la ville, les femmes combattirent sur les remparts aux côtés de leurs maris, et la citadelle tint bon. En 1758, Pascal Paoli, qui ne portait pas dans son cœur une ville aussi génoise, construisit le port de L'Île-Rousse (à l'origine Paolivilla) pour la concurrencer. « J'ai planté des fourches pour y pendre Calvi » *(Ho piantato le forche per impiccare Calvi),* écrivait-il alors.

La vieille citadelle connut, peu après, un nouveau siège. En 1794, Paoli ayant fait appel aux Anglais, Nelson mouilla devant Calvi qui, après une héroïque résistance, écrasée sous quelque trente mille boulets, se rendit le 3 août. Mais l'affaire avait coûté un œil au futur vainqueur de Trafalgar!

À Calvi, la semaine sainte est spectaculaire. Après la bénédiction, le jeudi, des biscuits traditionnels (les *canistrelli),* se déroule, le vendredi, la procession de la Granitola, où les pénitents, en cagoule, portent un christ grandeur nature et la pudique Vierge du Rosaire de l'église Saint-Jean-Baptiste.

Ajaccio, plus agressive vers la terre que vers la mer

Ajaccio, ancienne capitale de l'« Au-delà des monts », s'étend sur 4 km le long du plus grand golfe de la Corse. Un collier de montagnes et de collines l'entoure, et les effluves embaumés du maquis descendent jusqu'aux buildings qui dominent la vieille ville et donnent à Ajaccio l'aspect d'une cité moderne.

d'aspect farouche; le phare à une pointe, à l'autre une vieille tour génoise où, de mon temps, logeait un aigle. En bas, au bord de l'eau, un lazaret en ruine, envahi de partout par les herbes; puis, des ravins, des maquis, de grandes roches, quelques chèvres sauvages, de petits chevaux corses gambadant crinière au vent; enfin, là-haut, tout en haut, dans un tourbillon d'oiseaux de mer, la maison du phare, avec sa plate-forme en maçonnerie blanche. »

Aux environs d'Ajaccio, on peut voir aussi l'ancien pénitencier de Castellucio, d'où l'on jouit d'une vue très étendue, ainsi que l'ancienne propriété de la famille Bonaparte (aujourd'hui propriété de la ville d'Ajaccio), les Milelli, beau bâtiment se dressant au milieu d'un bosquet d'oliviers, au-dessus du golfe. ■

▲ *Colonnades classiques sur fond de montagnes : le château de la Punta, aux environs d'Ajaccio.*

Le château de la Punta

Si la vendetta fait partie du folklore corse, il est rare qu'elle se règle à coups de châteaux. C'est pourtant ainsi qu'a fini celle qui opposa longtemps deux familles d'Ajaccio, les Pozzo di Borgo, de vieille noblesse corse et farouchement royalistes, et les Bonaparte, impérialistes par destination. Pourtant, Charles-André Pozzo di Borgo et Napoléon Bonaparte avaient commencé par être amis intimes. La Révolution en fit des ennemis irréductibles. Tandis que l'un faisait la brillante carrière que l'on sait, l'autre s'expatriait et devenait le conseiller du tsar.

Waterloo aurait pu mettre un terme à cette querelle. Il n'en fut rien, et elle se réveilla, trente-sept ans plus tard, plus vive que jamais,

lorsqu'un autre Napoléon monta sur le trône. Il dut abdiquer, lui aussi, et les Pozzo di Borgo prirent alors leur revanche sur les Bonaparte.

Ils achetèrent des matériaux provenant du château des Tuileries, incendié en 1871, les firent transporter en Corse et édifièrent, sur une hauteur dominant la maison Bonaparte de quelque 650 m, une réplique exacte du pavillon dans lequel l'Empereur logeait durant son règne. Entouré de grilles provenant de l'ancien château de Saint-Cloud, le château de la Punta dresse sa façade classique en face d'un immense panorama, et ses colonnes ioniques, hommage à la royauté qui les fit tailler et camouflet pour les Bonaparte qui ne réussirent pas à se les approprier d'une façon durable, sont assez surprenantes dans le paysage corse. ■

Haut perchée sur son rocher, comme une aire de rapace,
▼ *la citadelle de Corte.*

L'amour-propre des Ajacciens n'admet pas que l'on mette en doute la légende selon laquelle la ville aurait été fondée par Ajax, le prestigieux héros grec de la guerre de Troie. Il est plus vraisemblable, cependant, que la ville fut, à l'origine, un camp romain. Détruite par les Maures, elle fut reconstruite par les Génois et passa successivement sous l'autorité des seigneurs corses de Cinarca, vassaux de la couronne d'Aragon, puis sous celle des rois d'Aragon, de la république de Gênes, des Français, qui la fortifièrent, de nouveau des Génois, avant de revenir définitivement à la France.

C'est le maréchal de Thermes qui, en 1554, entreprit la construction de la citadelle, « sous le règne de Henri II, roi de France et seigneur de l'île de Corse ». Elle est édifiée sur un promontoire rocheux, entre le port et les plages, et elle est occupée par l'armée. Bizarrement, cette forteresse semble plus agressive du côté de la terre, où trois saillants menacent la ville. Il est vrai que, à l'époque de sa construction, Ajaccio était surtout peuplée de Génois. La république maritime récupéra d'ailleurs la ville en 1559 par le traité du Cateau-Cambrésis, et termina l'ouvrage.

Au nord de la citadelle s'étend la vieille ville, avec la place Général-de-Gaulle (ex-place du Diamant), au centre de laquelle Viollet-le-Duc a édifié un monument un peu guindé, que les Ajacciens ont surnommé « l'Encrier » : un Napoléon équestre en toge se dresse sur un socle de granite rose, entouré de ses quatre frères également en toge, mais à pied. Au hasard des rues étroites, rectilignes, qui furent longtemps réservées aux Génois, on découvre la cathédrale, construite au XVIᵉ siècle dans le style vénitien et décorée de marqueteries de marbre et de peintures en trompe l'œil; la place Foch et la Maison carrée, à la fois hôtel de ville et musée Napoléonien; et enfin le palais Fesch, où sont exposées les collections du cardinal Fesch, oncle maternel de Napoléon : 1 200 tableaux de l'école italienne, dont beaucoup de chefs-d'œuvre (Botticelli, Guardi, Véronèse, Titien, le Canaletto...), et une bibliothèque de quelque 50 000 volumes, dont une centaine d'ouvrages rares (31 incunables); le palais abrite également la chapelle impériale, où se trouvent les sépultures de neuf membres de la famille Bonaparte, notamment celles des parents de l'Empereur.

La vieille ville recèle surtout la maison Bonaparte, qui est assurément le monument le plus « important » de cette cité entiè-rement dédiée au souvenir de l'Empereur. Le 15 août 1769, Letizia Bonaparte, épouse de Charles, rentrait chez elle, rue Saint-Charles. Sans avoir eu le temps de gagner sa chambre, elle accoucha au rez-de-chaussée, sur un canapé, d'un garçon qui fut prénommé Napoléon. La Corse était française depuis peu, et Pascal Paoli venait d'être défait (le 8 mai à Ponte-Nuovo) par les troupes du comte de Vaux et du lieutenant général de Marbeuf.

CITADELLES CORSES

St-Florent · Bastia
Calvi ·
· Corte
Ajaccio ·
· Porto-Vecchio
· Bonifacio

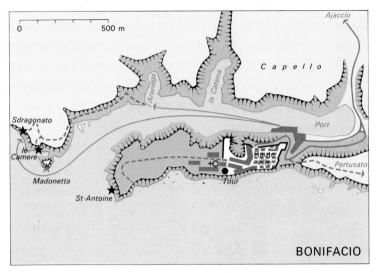

BONIFACIO

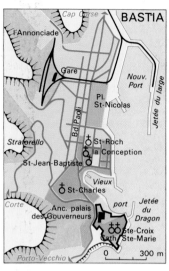

BASTIA

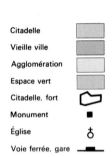

Citadelle
Vieille ville
Agglomération
Espace vert
Citadelle, fort
Monument
Église
Voie ferrée, gare

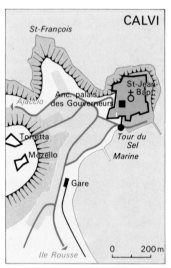

CALVI

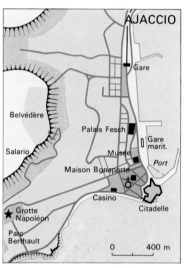

AJACCIO

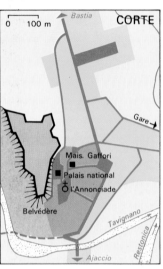

CORTE

Transformée en musée, la maison Bonaparte expose des meubles d'époque, le buste de Letizia par Canova, des peintures, des archives et des documents de l'Empire, ainsi que le canapé sur lequel Napoléon vint au monde.

Corte, la ville corse par excellence

Corte n'est peut-être pas la plus belle des villes corses, mais c'est « la » ville corse par excellence, la capitale sentimentale de l'île. Contrairement aux villes-forteresses édifiées par l'occupant génois, elle n'est pas située au bord de la mer, mais en plein cœur des terres, au confluent de la Restonica et du Tavignano, passage obligatoire sur la route Ajaccio-Bastia. Embusquée au centre d'une véritable toile d'araignée de sentiers, juchée sur un impressionnant promontoire rocheux de 100 m de haut, la citadelle a surveillé pendant des siècles les communications de l'intérieur.

Le site fut vraisemblablement fortifié dès le XIᵉ siècle, et les Génois l'occupèrent au XIIIᵉ. En 1418, Vincentello d'Istria, vice-roi de Corse pour le compte du roi d'Aragon, s'en rendit maître et construisit l'actuelle citadelle, un nid d'aigle dont les lourdes murailles grises se découpent sur le fond vert de la montagne et le bleu profond du ciel. Sous Louis XV, une vaste caserne classique trouva facilement place à l'intérieur de l'enceinte. Comme à Bonifacio et à Calvi, la citadelle est occupée par la Légion, mais, sous la pointe du vieux château fort, un belvédère offre à peu près la même vue que celle dont jouissent les « képis blancs ».

La ville neuve, ou ville basse, étirée le long de la route Ajaccio-Bastia, ne présente pas d'intérêt, mais la vieille ville, ou ville haute, bien groupée sous la forteresse, mérite que l'on s'y attarde. Plus pour l'histoire dont elle est chargée que pour sa valeur architecturale.

Ici, les étroites maisons à plusieurs étages sont construites en schiste noir, ce qui assombrit encore les ruelles qu'elles bordent. À l'entrée de la vieille ville, la place Paoli est ornée, depuis 1854, de la statue du « père de la patrie », érigée par souscription publique. Plus haut, une autre place évoque le souvenir du second héros de la ville, Jean-Pierre Gaffori (1710-1753), « général de la nation », qui fut, avant Paoli, l'organisateur de l'indépendance corse. Sa statue se dresse devant une maison dont la façade criblée de balles rappelle un fait héroïque. En 1750, Faustine Gaffori, l'épouse du général, assiégée dans cette maison avec une poignée de partisans, brandit une mèche allumée au-dessus d'un baril de poudre, menaçant de tout faire sauter si les Cortenois faisaient mine de se rendre aux Génois. Elle donna ainsi aux renforts conduits par son mari le temps d'arriver.

En fait, l'histoire de Corte constitue presque, à elle seule, un résumé de celle de la Corse. Reprise aux Génois par Vincentello d'Istria en 1418, la ville retombe, quarante ans plus tard, sous la domination de la Banque de Saint-Georges. En 1553, Corte se rallie à Sampiero Corso, qui dirige l'expédition française. Trois ans plus tard, les Génois sont de retour, puis les Corses reprennent la ville, pour la perdre de nouveau en 1564. Les Français l'enlèvent en 1739, et c'est seulement en 1745 que l'armée nationale y rentre pour en faire la capitale de la Corse indépendante de Paoli. En 1769, le désastre de Ponte-Nuovo place définitivement Corte sous l'autorité française.

Le Palais national, qui fut le siège du gouvernement de la Corse indépendante, abrite maintenant un musée d'Histoire corse.

Au nord du Palais national, au numéro 1 de la place du Poilu, s'élève la maison ancestrale de la famille Arrighi de Casanova, qui fut habitée par le père de Napoléon. C'est là que naquit son fils aîné, Joseph Bonaparte, futur roi d'Espagne.

Les Corses réclamaient depuis longtemps le rétablissement, à Corte, de l'université que Pascal Paoli y avait créée et qui fonctionna de 1765 à 1790. Ce sera bientôt chose faite.

aux portes du maquis
les villages corses

*Chassés des plaines côtières
par conquérants et pirates,
les Corses se réfugièrent
dans leurs montagnes.
Plantés sur un piton
ou accrochés au flanc escarpé
d'un vallon,
les villages étaient des bastions
faciles à défendre
et des postes de guet
d'où l'on pouvait
surveiller l'ennemi.*

◄ *Escarpées, tortueuses,
dallées et coupées
de marches,
les venelles de Sartène,
«la plus corse
des villes corses».*

Émergeant ►
*des châtaigniers,
Casabianca
et Ficaja,
villages perchés
de la Castagniccia.*

Flanquée ▲
*de son four à pain,
une vieille maison
de Morosaglia,
bourg natal
de Pascal Paoli.*

Des meules de moulin ►
*enjolivent
la très typique
fontaine de galets
de Murato.*

Isolés dans leurs nids d'aigle,
vivant chichement de l'élevage,
des châtaignes de leurs forêts
et de maigres cultures,
les Corses ont pourvu,
durant des siècles,

◀ Image d'une époque révolue,
une vieille femme file
encore la laine
de ses brebis.

▲ Du haut d'un éperon roche
couvert de verdure,
Penta-di-Casinca domine
les cultures
de la plaine orientale.

à tous leurs besoins,
et ils se sont transmis
un patrimoine de coutumes
et de traditions,
dont certaines
sont encore bien vivantes.

Vendredi saint à Sartène : ▶
tout de rouge vêtu,
le Catenacciu enchaîné
traverse la ville
en portant sa croix.

Hiératique et naïve, ▶
la Vierge à l'Enfant
de la chapelle
Santa-Maria
à Quenza
(Sartenais).

C'est un bandit
d'honneur
qui a sculpté
la porte de l'église
de Piazzole
(Castagniccia). ▼

Que son architecture soit pisane,
rustique ou baroque,
l'église s'inscrit toujours
harmonieusement dans le paysage,
et sa décoration intérieure,
reflet de la ferveur corse,
révèle un art populaire original.

▲ *Un peu austère*
dans son écrin de verdure,
l'église Saint-Pierre-Saint-Paul
de Piedicroce (Castagniccia).

◀ Dans une riante vallée
du Sartenais,
les toits roses
de Santa-Lucia-di-Tallano,
où l'on fait du bon vin.

▲ À Fozzano, la maison,
aux allures de forteresse,
où vécut Colomba,
la triste héroïne
de Prosper Mérimée.

*Tradition corse par excellence,
la vendetta
et ses bandits d'honneur
ont heureusement disparu.
Si l'on vend encore,
dans les boutiques de souvenirs,
d'inquiétants coutelas
baptisés « vendettas »,
il y a longtemps que personne
ne prend plus le maquis.*

Derrière le clocher de Ghisoni, ▶
*l'imposante masse rocheuse
du légendaire Kyrie-Eleison.*

▲ *Un des plus beaux belvédères
de la Corse : Loreto-di-Casinca,
sur une terrasse du monte Sant'Angelo.*

’activité économique de la Corse se concentre dans quelques grandes villes, les côtes attirent de plus en plus d'estivants, et la haute montagne offre un bel éventail de merveilles naturelles. Mais il existe un autre pôle d'attraction, peut-être le plus authentique parce que resté relativement à l'abri des invasions successives : les villages qui s'étagent entre 500 et 1 100 m et où, depuis des siècles, bat le cœur de la Corse. Pour les trouver, pour en découvrir les charmes et les singularités, il faut s'enfoncer résolument dans l'intérieur de l'île, en empruntant des routes toujours tortueuses, généralement étroites et souvent pittoresques.

Chassés des plaines littorales par des conquérants puissants et des pirates pillards, durement éprouvés par les querelles intestines de leurs seigneurs, agriculteurs et pasteurs corses se réfugièrent dans la montagne, sur des positions stratégiques permettant de voir venir de loin le danger et de se défendre contre lui.

Jamais bien grands, les villages sont éparpillés au gré du relief et se saluent d'un belvédère à l'autre. Ils ont en commun la faculté rare de s'intégrer au paysage, de se confondre avec lui, d'assortir leurs teintes à celles de l'environnement. Des « villages-caméléons », selon l'expression imagée d'un observateur attentif.

« Sancta simplicitas »

Planté au sommet d'un piton étroit ou accroché au flanc d'un versant, le village corse est de structure simple. Autour d'un clocher blanc, roman ou baroque, un fouillis de maisons couvertes de tuiles rondes ou de minces plaques de schiste se cramponne au roc, de part et d'autre de ruelles dallées, creusées en gouttière pour l'écoulement des eaux, qui escaladent la pente par une suite de degrés. Hautes, étroites, construites en schiste dans le nord de l'île et en granite dans le sud, les bâtisses à quatre pans sont rarement crépies. Avec leurs pierres rugueuses et leurs étroites fenêtres qui ne laissent pénétrer le redoutable soleil qu'avec parcimonie, elles ressemblent à des forteresses. Leur façade, habituellement dépouillée, s'orne parfois de modestes balcons et d'une volée de marches, permettant de gagner l'étage sans s'encombrer d'un escalier intérieur. À cause des risques d'incendie, le four à pain familial est édifié à l'écart.

Intérieurement, la maison corse est simplifiée à l'extrême : une grande pièce au rez-de-chaussée et de petites chambres à l'étage, où l'on ne fait que dormir et auxquelles on accède par un escalier de bois très raide, ou tout simplement en faisant le tour du bâtiment, construit à flanc de coteau. C'est dans la salle du bas que se trouve le « fucone », seule source de chaleur de l'habitation : c'est un châssis de bois garni d'argile et de pierres plates, sur lequel un petit feu,

entretenu jour et nuit, fait bouillir une marmite suspendue à de grosses chaînes, le « catenacciu », ou posée sur un trépied. Comme il n'y a pas de cheminée, la fumée s'échappe par les fentes de la toiture, après avoir, au passage, séché les châtaignes entreposées dans le grenier, fumé la charcuterie suspendue aux poutres et noirci murs et plafonds. Placé au centre de la pièce, le « fucone » est le cœur de la vie familiale : c'est autour de lui que se font les veillées.

L'ameublement, fort simple, se réduit à des lits garnis d'une paillasse, à quelques bancs ou même de vulgaires billots en guise de sièges, une table, un ou deux coffres et une huche massive, en bois de châtaignier, proche de la maie provençale. Pas d'armoires : des étagères, fermées ou non, ménagées dans l'épaisseur des murs, en tiennent lieu. Souvent, le chef de famille — le patriarche — dispose d'un robuste fauteuil de bois, trône rustique dans lequel il est seul à s'asseoir et qu'il a généralement fabriqué lui-même.

Le Corse est très attaché à sa maison natale, toute sommaire qu'elle soit : il répugne à la louer et, même s'il sait qu'il n'y reviendra jamais, il préfère la laisser tomber en ruine plutôt que de la vendre.

Les villages de montagne ont longtemps vécu en circuit fermé — l'autarcie, gage d'indépendance, étant d'ailleurs imposée par la difficulté des communications. Chaque communauté produisait à peu près tout ce qui était nécessaire à une existence frugale. La base de l'alimentation était constituée par les châtaignes réduites à l'état de farine. Autour du village, à l'aide de murets de pierres sèches et de terre apportée à dos d'homme, on aménageait de petites terrasses sur lesquelles on cultivait les plantes maraîchères indispensables. Les porcs erraient en liberté, sauf à l'époque des récoltes, où on les enfermait dans des enclos. Pour bâter les ânes, pour harnacher les mulets, pour fabriquer les instruments aratoires, on travaillait le cuir et on battait le fer. Pour s'habiller, on filait et on tissait la laine. Avec le bois des châtaigniers, on façonnait les ustensiles domestiques. Seuls les bergers quittaient régulièrement le village, pour assurer la double transhumance qui conduisait chèvres et moutons sur les prairies d'altitude en été et sur les pâturages côtiers en hiver.

Depuis un demi-siècle, les conditions de vie ont changé. Les communications étant plus faciles, les villages ne vivent plus en économie fermée. Des camionnettes apportent aux plus éloignés des fruits et des légumes venus souvent du continent, ainsi que l'épicerie, les produits d'entretien et les poissons pêchés sur les côtes. Aujourd'hui, on achète « à la voiture » ce que l'on produisait jadis sur place avec tant de mal. Pourtant, en dépit de l'automobile, du butane et du transistor, l'existence, dans les villages isolés, paraît encore bien austère. Le mirage des villes, avec l'espoir de gains faciles, a provoqué un exode rapide. Si les vieux sont restés, les jeunes sont partis; les villages, vidés de leur substance, se sont peu à peu

L'artisanat corse

Si la Castagniccia, qui fut l'atelier de la Corse, fabriquait de nombreux ustensiles avec le bois des châtaigniers, elle travaillait aussi le fer. Le minerai était importé de l'île d'Elbe, et des immigrés italiens, venus de Parme et de Lucques, façonnaient des instruments aratoires et surtout des armes, indispensables outils de l'indépendance. *Campile*, non loin du tumultueux Golo qui forme la frontière nord de la région, fut, des décennies durant, un des centres de cet artisanat. On y forgeait, à de multiples exemplaires, un redoutable couteau à lame effilée. Aujourd'hui, les descendants folkloriques de cette arme blanche continuent d'avoir droit de cité aux étalages des marchands de souvenirs. On les a baptisés « vendettas » pour la couleur locale, mais, au même titre que les petites tours Eiffel « made in Japan » vendues à Paris, ces grands canifs ornés de fioritures et portant fièrement la sanglante devise *Che la mia ferita sia mortale* (Que ma blessure soit mortelle) sont fabriqués à la chaîne dans les ateliers de Thiers, de Langres et de Saint-Dizier.

Plus authentiques sont les objets offerts, grâce aux activités de l'association « Corsicada », dans des boutiques appelées « Casa di l'Artigiana ». On y trouve des poupées vêtues des vieux costumes paysans, des bijoux modernes, des poteries, du miel et des bougies décorées, des châles et des couvertures tissés à la main, des corbeilles et des paniers, des ustensiles en bois d'olivier ou de

▲ *La Castagniccia abrite encore des artisans habiles à travailler le bois.*

châtaignier, des cendriers et des presse-papier de diorite orbiculaire, des gourdes faites de coloquintes séchées, et bien d'autres souvenirs rustiques, infiniment plus « corses » qu'un coupe-papier à l'effigie de Napoléon. ■

Des menhirs vieux de 5 000 ans

En posant le pied sur les hauts plateaux sartenais, on entre en préhistoire. De nombreux vestiges témoignent qu'une civilisation mégalithique, propre à la Corse, s'y serait développée à partir du IIIe millénaire avant notre ère.

Un peuple de paisibles pasteurs, pratiquant une religion fondée sur le culte funéraire, éleva des dolmens pour y enterrer ses morts et des

→

Dans l'un des hameaux de Morosaglia, le sobre clocher baroque
▼ *du couvent Saint-François.*

endormis. Les ronces et les fougères ont envahi les terrasses, puis les vergers, les vignes et les oliveraies. Lentement, inexorablement, le maquis a reconquis le terrain perdu.

La Castagniccia, royaume des châtaigniers

Au cœur de l'« En deçà des monts », entre Bastia et Corte, une région a cependant résisté victorieusement à l'insidieux envahissement du maquis : la Castagniccia, dont le nom signifie « châtaigneraie ». Une immense forêt la recouvre, estompant le relief. Si les jambes et les voitures ne se ressentaient, chacune à leur manière, des

dénivellations, on oublierait combien ce monde végétal est accidenté.

Pourtant le désordre des crêtes et des profondes vallées qui le sillonnent en tous sens a joué un rôle important dans son histoire : la Castagniccia est restée un territoire inviolé, qui a su vivre en autarcie pour résister aux invasions, d'où qu'elles vinssent. Ses énormes châtaigniers subvenaient à tous les besoins, ou presque. Certains de ces arbres, toujours solides, ont plus de cinq siècles d'existence, et la circonférence de leur tronc dépasse 10 m. Maintenant que les châtaignes ne sont plus guère consommées que par les porcs et le bétail, les arbres, naguère soignés avec amour, sont délaissés et périclitent. Les villages se dépeuplent, les routes voient passer plus de cochons et de poules errant en liberté que d'automobilistes, et cette

▲ *Une citadelle de l'âge du bronze :*
le Castellu de Cucuruzzu,
aménagé par les Torréens.

menhirs peut-être destinés à abriter l'esprit des défunts. Certains de ces menhirs sont isolés, d'autres forment des alignements, dont les plus importants, ceux de Palaggiu, ne comptent pas moins de 258 mégalithes, ce qui en fait la plus grande concentration de menhirs du bassin méditerranéen.

Puis les menhirs cessèrent d'être de simples pierres dressées pour représenter des silhouettes humaines : ce sont les statues-menhirs, dans lesquelles on distingue l'ébauche d'une tête, la figuration fruste mais néanmoins réaliste d'un visage. Enfin, vers le milieu du IIe millénaire, le sud de l'île fut envahi par une peuplade belliqueuse, probablement à partir de la Sardaigne, et qu'on désigne sous le nom de « Torréens » parce qu'ils construisaient des édifices en forme de tour. Leur arrivée coïncide avec le début de l'âge du bronze, et les statues-menhirs nous montrent les intrus casqués, armés d'épées ou de poignards, parfois cuirassés.

Le principal centre artistique et religieux de la Corse préhistorique est la station de *Filitosa*, près d'Olmeto. On y trouve le résumé des deux grandes civilisations de la préhistoire corse, dans un oppidum aménagé sur un éperon naturel, entre le ruisseau de la Sardelle et la rivière du Barcajolo. Le gisement contient un monument cultuel torréen et une vingtaine de statues-menhirs qui ont fait dire à Roger Grosjean que « nous n'avons pas, en Méditerranée, l'équivalent d'une civilisation préhistorique possédant un art aussi particulier ».

À *San-Gavino-di-Carbini*, où subsistent les vestiges d'un

À Valle-di-Campoloro,
près de Cervione,
les fresques de l'église romane
▼ *Santa-Cristina.*

région qui fut l'une des plus actives de la Corse s'endort doucement.

Capitale économique de la Castagniccia jusqu'au début du siècle, *Piedicroce,* où s'affaira longtemps tout un petit peuple d'artisans, n'est plus qu'un village mort. Accrochée en balcon au-dessus du cirque d'Orezza, l'agglomération est souvent appelée « Orezza ». On y trouve une église baroque, Saint-Pierre-Saint-Paul, et les ruines, envahies par la végétation, du couvent d'Orezza : les délégués des circonscriptions avaient jadis coutume de s'y réunir pour organiser la résistance aux Génois; c'est là que, en juin 1751, Jean-Pierre Gaffori fut proclamé « général des Corses » et qu'il forma un véritable gouvernement, prêt à fonctionner dès le départ des troupes françaises qui avaient aidé l'île à secouer le joug génois. Le couvent, dont l'église a été détruite lors de la dernière guerre, a inspiré au peintre Maurice Utrillo un tableau fort bien venu, qui se trouve aujourd'hui au musée de l'Annonciade, à Saint-Tropez.

Les environs de Piedicroce, et notamment le lit du Fium'Alto, produisent un très beau marbre vert, dénommé « Verde di Corsica », qui est le plus bel ornement de la chapelle Médicis, à Florence. Les eaux ferrugineuses d'Orezza, naturellement pétillantes, sont connues depuis l'Antiquité. Les spécialistes les disent « efficaces contre l'anémie, la dyspepsie, la leucorrhée, les engorgements du foie et de la rate ». Une régie départementale assure leur mise en bouteilles, mais les installations thermales ont, malheureusement, été laissées un peu à l'abandon. Il y vient encore quelques curistes, qui trouvent à se loger dans les petits hôtels de *Stazzona,* une bourgade enfouie dans la verdure, et dont la placette a l'air d'un décor de comédie.

Morosaglia où naquit Paoli

Séparée de Piedicroce par le monte San-Petrone (1 767 m), principal sommet de la chaîne orientale, Morosaglia est la patrie du héros de l'indépendance corse, Pascal Paoli (1725-1807). À l'entrée du bourg se dresse depuis 1953 — la consécration exige souvent une longue patience — une statue de celui qui se maintint quatorze années durant à la tête de son pays et y accomplit une œuvre remarquable, créant une marine, une économie, un enseignement et même une monnaie, dont les pièces, devenues très rares, sont l'objet de la convoitise des numismates du monde entier. Paoli stimula l'agriculture, encourageant notamment la production de la pomme de terre, ce qui valut au « père de la patrie » le sobriquet de « generale delle patate ».

Depuis 1889, les cendres du grand homme, ramenées de Londres où il mourut, reposent dans une pièce de sa maison natale, transformée en chapelle. On visite également l'église où il fut baptisé, Santa-Reparata, un édifice préroman au tympan orné de serpents entrelacés.

À l'est de Morosaglia, le bourg de *La Porta,* tapi au fond d'une vallée, possède une église baroque dont le magnifique clocher isolé, bâti en pierres dorées, passe pour le plus beau de Corse. L'orgue, qui a le mérite, en sus de son âge vénérable (il date de 1780), d'avoir été conçu et assemblé par des facteurs locaux, permet de donner chaque été des concerts très suivis. *Casabianca* présente, en plus des pittoresques ruines du couvent Saint-Antoine, un intérêt historique : c'est là que, le 15 juillet 1755, une consulte (assemblée de notables) nomma Paoli « général du royaume de Corse », alors qu'il n'y avait pas de roi dans l'île ni même de prétendant à un trône quelconque.

Au nord de Morosaglia, un vieux pont de pierre enjambe le Golo : c'est *Ponte-Nuovo,* où se déroula le dernier combat livré par les Corses pour leur indépendance. Le 9 mai 1769, l'armée française du comte de Vaux y écrasa les troupes de Paoli. À l'entrée du pont, un monument commémore la défaite qui sonna le glas de la nation corse.

Des églises témoins de leur temps

Non loin de là, à *Castello-di-Rostino,* la chapelle Saint-Thomas, de style roman, abrite de belles fresques datant de la Renaissance, tandis que, près du hameau de *Valle-di-Rostino,* une église en ruine, Santa-Maria, a encore une abside du Xe siècle et une façade en marbre gris, de style pisan, ornée de sculptures naïves.

alignement de menhirs de la première période, on a dégagé, en 1967, un oppidum cyclopéen de l'époque torréenne, le *Castellu d'Arragio*, une enceinte circulaire de près de 40 m de diamètre, avec deux entrées couvertes de grosses dalles.

Au nord de *Levie*, dont la mairie abrite un dépôt archéologique qui s'enrichit chaque année de nouvelles découvertes, se trouve l'ensemble fortifié le plus typique de l'âge du bronze : le *Castellu de Cucuruzzu*. Il occupe le sommet d'une butte. Un escalier taillé dans le roc donne accès à une enceinte de remparts, où l'on distingue un chemin de ronde et des casemates couvertes, munies de meurtrières. Au centre, sur une terrasse, se dresse un bâtiment qui semble avoir été un temple. On y pénètre en franchissant deux portes successives, dotées de piliers et de

───────────▶

▲ *Casqué, armé,
l'un des farouches Torréens
qui expulsèrent de Filitosa
les pacifiques tailleurs de pierre.*

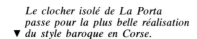

▲ *Les alignements de Palaggiu,
au sud de Sartène,
sont les plus importants
de tout le bassin méditerranéen.*

*Le clocher isolé de La Porta
passe pour la plus belle réalisation
▼ du style baroque en Corse.*

À l'ouest de la Castagniccia, les hameaux de *San-Lorenzo* sont accrochés au flanc du monte San-Petrone, dans une région giboyeuse que sillonnent des ruisseaux à truites. Deux chapelles du XVIIIe siècle se dressent au sud de la localité : autant celle de Santa-Maria est sobre, autant celle de San-Quilico est richement sculptée.

Encore plus à l'ouest, non loin de Corte, les hautes maisons d'*Omessa* se serrent pour former une sorte d'enceinte, dans laquelle on pénètre par une ruelle voûtée. Au centre, sur une place ombragée de platanes centenaires, à côté d'une fontaine, la petite chapelle de l'Annonciade contient une jolie statue de marbre, représentant une Vierge à l'Enfant. Ce dernier, qui joue avec un oiseau, ressemble assez aux œuvres de Donatello pour que l'on puisse dater cette statue du XVe siècle. Le clocher baroque de l'église paroissiale se dresse au-dessus des toits, tandis qu'un ancien couvent de récollets, devenu le château de Bellevue, domine le village. Alentour, on découvre les restes de plusieurs forteresses qui commandaient les passages entre les vallées du Golo et du Tavignano.

À l'est, au-dessus de la plaine orientale, en vue de la mer, *Cervione* s'étage en amphithéâtre sur les dernières pentes du monte Castillo, entourée de vergers et de vignes. Avec ses 1 600 habitants, c'est déjà une petite ville. En 1736, elle fut la capitale éphémère du roi fantôme de la Corse, Théodore Ier, alias baron de Neuhof, un aventurier qui réussit, durant quelques mois, à se maintenir sur un trône d'opérette. D'ailleurs, l'église Sainte-Marie-et-Saint-Érasme, coiffée d'une coupole, est assez monumentale pour ne pas laisser oublier qu'elle fut jadis cathédrale.

Cervione est réputée pour son vin. Elle l'est également pour sa *Madonna,* une Vierge de marbre blanc, datant du début du XVIe siècle, conservée dans la chapelle Notre-Dame-de-la-Scobiccia, sur une crête voisine de la ville, à 770 m d'altitude. Cette statue devait, dit-on, orner la cathédrale de Cordoue, mais le bateau qui la transportait fit naufrage et des pêcheurs la découvrirent sur la grève, près du hameau de Prunete, « marine » de Cervione.

Une autre Vierge à l'Enfant réputée peut être admirée non loin de là, à *Valle-d'Alesani,* dans la chapelle de l'ancien couvent. Il s'agit, cette fois, d'une peinture sur bois, *la Vierge à la cerise,* exécutée au XVe siècle par un artiste de Sienne, Sano di Pietro : avec son fond or et son style hiératique, elle fait penser à une icône. Plus près de Cervione, à *Valle-di-Campoloro,* l'église romane Santa-Cristina est construite selon un plan original. Elle possède deux absides jumelles en cul-de-four, que l'on pense avoir été destinées à honorer deux saints patrons distincts. Les murs sont ornés de belles fresques du XVe siècle dont les coloris sont restés très frais. De Valle-di-Campoloro, une route conduit à *San-Nicolao* (village perché, doté d'une belle église baroque) et à *Santa-Lucia-di-Moriani* (bâtie en balcon

▲ *Touffu, enchevêtré,*
changeant de couleur et d'odeur
au fil des saisons,
le maquis au printemps.

linteaux monolithes. La salle intérieure est fermée par une voûte de pierre qui devait servir de tour de guet, car un escalier extérieur permet d'en atteindre le sommet, d'où l'on découvre tous les alentours. On a également mis au jour de nombreux vestiges d'habitations. ■

Odoriférant et luxuriant maquis

Le maquis! Ce mot faisait jadis surgir des images de bandits farouches, habillés de velours grossier, ceinturés de cartouches, tromblon ou fusil en bandoulière. Il a perdu de son pouvoir d'évocation. Aujourd'hui, Flaubert n'oserait plus écrire : « Je me suis aventuré dans le mâkis *(sic)* sous bonne escorte. »

Cet inextricable fourré dont le manteau verdoyant couvre les deux tiers de la Corse, ce compagnon immémorial de l'insulaire, dont il nourrit les bêtes et abrite (ou abritait) les bandits d'honneur, cette *macchia* qui fait partie intégrante du paysage et dans laquelle le Corse se sent chez lui, est une formation végétale relativement récente. Il y a 5 000 ans, lorsque les premiers pasteurs menaient leurs troupeaux paître sur les herbages des sommets, le maquis n'existait pas. À sa place s'étendaient d'immenses forêts de chênes verts et de pins maritimes. Mais les hommes avaient besoin de champs et de pâturages. Alors ils incendièrent les forêts. Le feu est un allié difficile à maîtriser, et il fit plus de ravages que prévu. Les arbustes remplacèrent les arbres, brûlèrent à leur tour et firent place aux broussailles. Le maquis prit d'assaut

Tous volets fermés
pour se protéger du soleil,
Castellare-di-Casinca,
▼ *au seuil de la plaine orientale.*

au-dessus de la plaine orientale) : son tracé est si pittoresque, les points de vue qu'elle offre sur les collines, la plaine, la mer et les îles toscanes sont si beaux qu'on l'a pompeusement baptisée « corniche de la Castagniccia ».

La Casinca, pays des vendettas

Au nord, entre la vallée du Fium'Alto et celle du Golo, la Castagniccia est bordée par une région privilégiée, la Casinca. Fertile et peuplée, c'est une plaine, couverte de vignes et de plantations de tabac, qui s'élève, par une succession de gradins plantés d'oliviers et de châtaigniers, jusqu'aux collines où s'étagent les villages.

La Casinca est réputée pour ses sanglants règlements de compte. L'une de ces vendettas, célèbre entre toutes, dura vingt-cinq ans et fit au moins une trentaine de victimes : cela se passait à *Venzolasca*, un bourg dont la rue unique suit la crête d'une arête rocheuse. Aujourd'hui, les vendettas font partie du folklore. On a cessé de s'entretuer en Corse depuis la fin de la Première Guerre mondiale, et les derniers bandits du maquis furent arrêtés en 1931, au cours d'une gigantesque rafle. Les haines se sont apaisées, les mœurs ont évolué, les armes se sont tues. Ce qui ne veut pas dire que les Corses contemporains sont moins chatouilleux que leurs ancêtres sur la question de l'honneur...

Chef-lieu de canton après avoir été, pendant trois siècles, le siège d'un évêché (transféré à Bastia en 1570), *Vescovato*, capitale de la Casinca, peuplée de Corses attachés à leur terre et à leur travail, n'a pas encore été atteinte par le tourisme. Cela ne saurait tarder, car la mer n'est pas loin et les environs sont agréablement boisés.

De *Silvareccio*, on a une belle vue sur l'intérieur de la Castagniccia (vallée d'Orezza et monte San-Petrone), mais le titre de « plus beau belvédère de la région » revient à *Loreto-di-Casinca*, bâtie à flanc de coteau parmi les châtaigniers qui couvrent les pentes du monte Sant'Angelo. Du campanile, construit sur un promontoire à l'extrémité de la rue principale du village, on découvre toute la Casinca et une bonne partie de la côte orientale, depuis l'étang de Biguglia jusqu'à l'embouchure du Fium'Alto. Au pied de ce prodigieux mirador, on aperçoit les hautes maisons de schiste de *Penta-di-Casinca*, serrées de part et d'autre d'une rue unique qui court sur l'échine d'une colline, et au loin, sur le rivage, la tour génoise démantelée de San-Pellegrino, auprès de laquelle on a découvert, il y a quelques années, les vestiges d'une voie romaine.

Tout à fait au nord, au-delà du Golo, près de l'aérodrome de Poretta qui dessert Bastia, le gros bourg de *Borgo*, qui domine l'étang de Biguglia, conserve pieusement le souvenir d'une grande victoire

corse : en 1768, un an avant Ponte-Nuovo, Paoli obligea la garnison à capituler, empêchant les troupes françaises, cantonnées à Bastia, de pénétrer dans l'intérieur de l'île.

Au nord, le Nebbio

Passé Borgo, à l'ouest de la route rectiligne qui file vers Bastia et de la chaîne montagneuse qui se prolonge jusqu'à l'extrémité du cap Corse, s'étend le Nebbio, réputé pour ses vins. C'est une région assez fertile, dont les cultures en terrasses descendent en gradins jusqu'au golfe de Saint-Florent.

les pentes, s'insinua au fond des gorges, s'installa partout jusqu'à 700 m d'altitude.

Dans ses parties les plus denses et les plus anciennes, le maquis peut atteindre 5 ou 6 m de hauteur. La plupart des essences qui s'y enchevêtrent ont des feuilles persistantes. On y trouve de petits chênes verts, des bruyères arborescentes, des arbousiers dont les rameaux portent des fruits rouges comestibles ressemblant à des fraises, des lentisques, des genêts épineux. Les buis, les lauriers et les genévriers sont plus rares. Entre tous ces buissons, clématites, ronces et lierre tissent des réseaux impénétrables. Les zones plus basses sont le domaine des plantes odorantes, qui faisaient dire à Napoléon qu'il reconnaîtrait la Corse les yeux fermés, rien qu'à son parfum. Ciste et lavande sauvage, myrte et fenouil, thym et romarin, toutes se contentent des terres les plus ingrates et résistent aux pires sécheresses. Elles sont décoratives, protègent le sol, évitent l'érosion en empêchant la terre d'être entraînée par le ruissellement des eaux. Malheureusement, elles brûlent comme de l'amadou. Les incendies ravagent chaque été des milliers d'hectares de maquis, et la dégradation se poursuit, irréversible. ■

Les spécialités culinaires corses

Le patrimoine gastronomique corse s'est un peu effrité au cours des années, et le *fiadonu*, par exemple, excellente pâtisserie à base

▲ *Des murs bicolores donnent un cachet particulier à l'église San-Michele de Murato, dans le Nebbio.*

de farine de châtaigne et de fromage frais, se fait rare. Si certaines charcuteries ont disparu, on trouve encore la *coppa* et le *lonzu* (faux-filet et filet de porc cru, salé et roulé), le *prisuttu* (jambon fumé très épicé) et le presque légendaire *figatellu* (saucisse à base de foie, de crépine et de lard macérés dans le vin). La viande la plus appréciée dans l'île est, avec celle du cabri, celle des petits cochons noirs, nourris de châtaignes, ce qui leur donne une saveur exceptionnelle.

Les Corses ont heureusement préservé leurs laitages, et surtout leur *brocciu* national, un fromage de brebis qui se déguste de préférence tout frais, dans le panier d'osier tressé qui lui a servi de moule. On peut aussi l'incorporer à d'autres mets, l'accompagner de *fritelle* (beignets frits à l'huile d'olive), de

À quelques kilomètres à vol d'oiseau de Borgo, le bourg de *Murato* a le douteux privilège d'avoir vu naître le conspirateur Fieschi (en 1835, il lança sur le roi Louis-Philippe une machine infernale qui rata le souverain, mais tua le maréchal Mortier et fit de nombreuses victimes). Murato est surtout connue pour posséder l'église romane la plus originale de Corse, San-Michele, située sur un mamelon isolé. Construite au XIIe siècle, l'église se compose d'une nef unique et d'un clocher-porche — malheureusement rehaussé au XIXe siècle — solidement planté sur deux robustes colonnes rondes. Son caractère lui vient de l'alternance de pierres blanches et vertes qui la couvre de rayures et de damiers, décoration beaucoup plus voyante que les discrètes arcatures qui ornent ses corniches. Peu visibles au milieu de

ce bariolage, d'étranges sculptures représentent des créatures réelles ou fantastiques et complètent le charme barbare de cet édifice peu commun.

En franchissant le col de San-Stefano, on peut rejoindre Bastia par le spectaculaire *défilé de Lancone*, creusé par le fougueux Bevinco qui court rejoindre l'étang de Biguglia, ou continuer à remonter vers le nord pour visiter le gros village d'*Oletta*, qui, du haut de sa colline, domine la plus riche vallée du Nebbio. Ici, plus de pierres grises. Les maisons sont crépies et peintes de couleurs claires, à l'exception de quelques vieilles bâtisses noirâtres, perchées comme des corneilles au sommet du monticule, au-dessus de la place en terrasse, des palmiers, des jardins et de la jolie église du XVIIIe siècle, dont la façade est ornée d'un bas-relief plus ancien, provenant du sanctuaire qu'elle a remplacé.

Les villages perdus du Bozio

Au sud de la Castagniccia, entre Corte et la plaine orientale, le maquis prend une éclatante revanche sur les châtaigniers : il laisse vivoter quelques cultures, un peu de vigne, mais il n'y a pas une forêt. C'est la région du Bozio, traversée d'ouest en est par le Tavignano, un torrent qui a creusé dans le schiste des gorges plus ou moins profondes, plus ou moins sinueuses. Accrochés au roc, de vieux villages, ensembles de hameaux farouchement solitaires, réservent d'agréables surprises à ceux qui se donnent la peine d'y grimper.

Au seuil de la Castagniccia, *Bustanico* possède un des plus beaux témoignages de l'art populaire corse : un christ en bois polychrome, d'une facture naïve, mais d'un réalisme bouleversant. C'est de Bustanico que partit, en 1729, la guerre de l'Indépendance qui devait durer quarante ans et aboutir à la cession de la Corse à la France : les paysans se révoltèrent parce qu'un collecteur d'impôt tatillon menaçait un vieillard à qui il manquait un demi-sou pour s'acquitter de ses contributions — petite cause, grands effets. En 1956, on a découvert sur le territoire de la commune deux sculptures romaines et des monnaies datant de l'an 180 av. J.-C., ce qui prouve que la route des invasions était passée par là.

Non loin de là, *Sermano* est un des derniers villages corses où l'on chante encore à la messe la « paghiella », vieux chant corse à plusieurs voix d'hommes. Dans le cimetière, l'humble chapelle San-Nicolao est décorée de fresques du XVe siècle, aux chaudes couleurs, remarquablement conservées. Plus au sud, *Erbajolo* jouit d'un magnifique panorama (table d'orientation), mais il faut descendre un peu pour admirer une petite église romane, Saint-Martin, qui possède une abside semi-circulaire ornée de peintures rustiques.

fruits frais ou de figues sèches. On en fait également une délicieuse tartelette, baptisée *imbrucciata*.

Parmi les gibiers, le merle, nourri de baies de myrte, est considéré à juste titre comme un plat particulièrement délicat. Aux yeux — et surtout aux palais! — de certains connaisseurs, le pâté de merle est supérieur au foie gras.

Les poissons — parce qu'ils abondent, en mer comme en rivière — apparaissent souvent au menu. Les oursins ont un goût très typique, et les langoustes, excellentes, entrent fréquemment dans la composition de la plantureuse bouillabaisse locale, l'*aziminu*.

On leur adjoint la murène, qui chagrina jadis Guy de Maupassant. Voyant qu'elle avait la peau lisse, il s'étonna : « Mais elle n'a pas d'écailles! » Flaubert, dans

Salammbô, donne des écailles à la murène. » Et, après le repas : « Cette murène était exquise, mais je l'eusse préférée avec des écailles. À cause de ce pauvre Flaubert... » ∎

Un paradis pour pêcheurs et chasseurs

Montagne jaillie de la mer, la Corse ruisselle de torrents aux eaux claires, peuplés essentiellement de truites et d'anguilles, et la pêche en rivière est praticable presque partout. Le Golo, le Rizzanese, le Taravo et l'Orbo comptent au nombre des principales rivières à truites, mais il s'en trouve également dans maints cours d'eau secondaires. Ce sont des truites « fario », de petite taille, mais particulièrement savoureuses. Si la

meilleure période pour la pêche se situe entre le début mars et la fin juin, la saison va de la troisième semaine de février au dernier lundi de septembre. Quant aux étangs et aux lacs du monte Rotondo et du monte Renoso, ils recèlent des anguilles de belle taille, dont certaines dépassent le mètre.

La douceur du climat et la splendeur des paysages ajoutent au plaisir de la chasse, ouverte en Corse du troisième dimanche d'août au premier dimanche de janvier, sauf pour le canard col-vert et la bécassine, que l'on tire jusqu'au 15 février, et pour certains gibiers nuisibles, que l'on chasse jusqu'à la fin mars. L'île regorge de canards sauvages, de bécasses et de pigeons ramiers, migrateurs qui arrivent chaque automne pour ne repartir qu'aux premiers jours du printemps.

Le sanglier est très abondant dans toutes les régions de maquis, et la plupart des villages organisent chaque semaine des chasses avec rabatteurs et chiens. Le touriste y est toujours le bienvenu. Commencées dès l'aube, ces équipées sportives se terminent par un repas en plein air, autour d'un bon feu. ∎

De vignes en vins

Les vins corses n'ont pas, sur le « continent », la réputation qu'ils méritent. Pourtant, tous sont originaux et beaucoup sont excellents. Depuis 1968, le patrimonio est une appellation contrôlée (A.O.C.), et le sartène a droit au label V.D.Q.S. Toutes les régions de l'île, ou presque,

Cernés de vignobles où s'élabore un vin fameux, Patrimonio et son église classique ▼ (Nebbio).

Piedicorte-di-Gaggio domine la vallée du Tavignano, qu'enjambe un pont génois : celui-ci a perdu son tablier depuis longtemps, mais ses arches graciles semblent indestructibles. De la promenade en terrasse du village, on découvre, à l'ouest, les hauts sommets de la chaîne centrale et, à l'est, la plaine d'Aleria et la mer. Le clocher monumental de l'église date du XIXᵉ siècle, mais l'archivolte encastrée à sa base est romane, et les quatre monstres qui la décorent ne manquent pas d'intérêt. Au-dessus du village, les vestiges du château de Gaggio couronnent la punta Callacaggio (1 061 m), d'où la vue est magnifique.

Encore plus au sud, *Antisanti*, étirée le long de son éperon rocheux, contemple la vallée du Tavignano, tandis que *Vezzani*, en bordure de la forêt de Sorba, est tournée vers la ligne de crêtes qui la sépare de la vallée du Tagnone et du Fiumorbo.

Sauvage et solitaire Fiumorbo

Avec son dédale de vallées encaissées et ses sites superbes, le Fiumorbo est le pays le plus isolé, le plus enclavé de toute la Corse. Peut-être est-ce pour cette raison qu'il fut le dernier à accepter la loi française? En tout cas, c'est dans ses villages que les mœurs traditionnelles de l'île se sont le mieux maintenues.

Lorsque, venant de Venaco ou de Vizzavona, on aborde le Fiumorbo par le nord, en franchissant les 1 311 m du col de Sorba et en traversant la forêt du même nom, plantée de magnifiques pins laricios, le premier village que l'on rencontre fait exception à la règle générale : loin d'être perchée, *Ghisoni* est construite au fond d'une cuvette boisée, près du confluent de deux torrents, le petit Regolo et le puissant Fium'Orbo, le « fleuve aveugle », qui a donné son nom à la région. Deux pitons rocheux dominent l'agglomération, le Kyrie-Eleison et le Christe-Eleison. Ces noms surprenants datent du XIVᵉ siècle, de l'époque où l'on faisait périr sur le bûcher les « Giovannali » (disciples de saint Jean), des hérétiques qui rappellent les cathares du midi de la France. Les habitants de Ghisoni ayant livré aux flammes un membre de la secte, le curé entonna l'office des morts, et l'écho des deux rochers lui répondit. On vit alors deux colombes sortir de la fumée et aller se percher à leur sommet. C'est, du moins, ce que raconte la tradition...

Aussitôt après s'être enrichi des eaux du Regolo, l'Orbo se rue dans des gorges étroites, sauvages, qui offraient jadis un asile quasi inviolable aux bandits d'honneur. Aujourd'hui, une route, creusée à coups d'explosifs, les a ouvertes à la circulation, mais le cadre reste extrêmement sévère. On suit d'abord le *défilé des Strette*, profond de 300 m et encombré d'énormes blocs descendus de la montagne, puis

▲ *Les hautes et sombres maisons de Sartène sont solidement cramponnées au rocher.*

produisent des vins qui peuvent se boire jeunes, mais qui acquièrent un bouquet particulièrement fin en vieillissant. Les rouges sont capiteux, les blancs secs et parfumés, les rosés fruités et savoureux. Parmi les principales régions productrices, on peut citer :

— le *Nebbio,* avec ses vins de Patrimonio qui doivent leur qualité au terroir et à l'excellent encépagement de nielluccio, de malvoisie et de grenache noir;

— le *cap Corse,* avec ses îlots de malvoisie et de muscat et les vins doux naturels de Rogliano;

— le *Sartenais,* avec ses vallées du Bacari, du Rizzanese et de l'Ortolo;

— les *coteaux d'Ajaccio,* tels que Taravo, Prunelli, Gravone, Liamone, Sagone, Chioni, Porto; dans leur encépagement dominent le sciaccarello, le grenache et le malvoisie;

— la *Balagne,* réputée pour ses vins de sciaccarello, de nielluccio et de malvoisie, associés au grenache et au cinsault;

— la *région de Porto-Vecchio,* qui a reconstitué de beaux vignobles ces dernières années, notamment dans la dépression de Figari;

— la *plaine orientale,* qui est depuis longtemps un pays de vignobles de qualité : Bravone, Cervione, Casinca, Fiumorbo et Marana; depuis quelques années, de grandes exploitations, disposant de puissants moyens financiers, produisent en grosse quantité des vins de consommation courante, ne titrant pas plus de 11⁰;

— le *Cortenais,* enfin, avec les deux grands bassins du Golo et du Tavignano, qui doit à ses formations calcaires la qualité de ses vins. ■

le *défilé de l'Inzecca,* prodigieuse encoche (c'est le sens du mot « inzecca ») qui échancre la roche d'un vert sombre sur quelque 800 m de longueur.

La capitale du Fiumorbo est un gros bourg juché sur un promontoire qui domine la plaine d'Aleria : *Prunelli-di-Fiumorbo.* L'église qui se dresse au sommet du rocher, Santa-Maria-Assunta, est de style classique, mais l'ancien sanctuaire qu'elle a remplacé, Saint-Jean-Baptiste, construit en contrebas et aujourd'hui en ruine, était préroman.

À quelques kilomètres de là, le hameau de *Pietrapola,* petit centre de pêche et de chasse, aux vieilles maisons typiques, possède un établissement thermal dont les eaux chaudes, sulfurées-sodiques, donnent, paraît-il, d'excellents résultats dans le traitement des rhumatismes et autres douleurs.

« La plus corse des villes corses »

Au sud de l'île, au-dessus de la fertile vallée du Rizzanese — une des principales régions productrices de vin de la Corse —, la vieille cité de *Sartène* se dresse au sommet d'un mamelon. Pour Prosper Mérimée, c'était «la plus corse des villes corses». L'écrivain faisait-il allusion à son allure médiévale, à ses hautes maisons de pierre sombre, à ses ruelles dallées, à ses escaliers escarpés, à ses passages voûtés? Ne pensait-il pas plutôt à son caractère secret, à l'influence qu'y exerçaient quelques puissantes familles, aux luttes de clans, aux guerres intestines qui dressaient les uns contre les autres les individus, les familles, les quartiers? Quoi qu'il en soit, la ville est très fière du qualificatif et s'en pare comme d'un titre de gloire.

Le soir du vendredi saint, une cérémonie religieuse replonge brusquement Sartène en plein Moyen Âge : la procession du «Catenacciu» (l'enchaîné). Vêtu d'une longue robe rouge, la tête couverte d'une cagoule rouge, les mains gantées de rouge, un homme aux pieds nus porte une lourde croix à travers les rues illuminées de la ville. À sa cheville est fixée une grosse chaîne qui rebondit bruyamment sur les pavés. Qui est le «grand pénitent» qui tient le rôle du Christ vivant? Nul ne le sait, sauf le curé auprès duquel il s'est inscrit plusieurs années à l'avance, mais tout le monde voudrait bien le savoir, et les gamins cherchent sournoisement à le faire tomber. Il est suivi du «pénitent blanc», ou «petit pénitent», qui incarne Simon le Cyrénéen. Derrière, quatre «pénitents noirs», très impressionnants avec leurs cagoules funèbres, portent, sur un linceul blanc, une statue polychrome représentant, avec un réalisme saisissant, le Christ mort. Puis viennent le clergé, les notables, les fidèles, au milieu des chants et des cris.

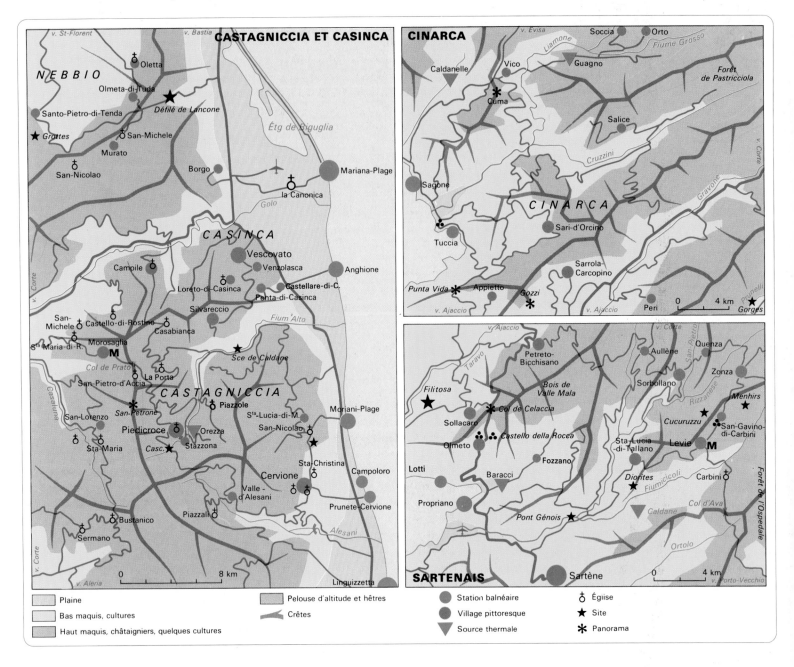

CASTAGNICCIA ET CASINCA

NEBBIO — v. St-Florent — v. Bastia — Oletta — Olmeta-di-Tuda — Défilé de Lancone — Santo-Pietro-di-Tenda — *Grottes* — San-Michele — Murato — San-Nicolao — Borgo — *Étg. de Biguglia* — Mariana-Plage — la Canonica — Golo

CASINCA — Vescovato — Campile — Venzolasca — Anghione — Loreto-di-Casinca — Castellare-di-C. — Penta-di-Casinca — Silvareccio — *Fium' Alto* — San-Michele — Castello-di-Rostino — Casabianca — Sᵗᵃ Maria-di-R. — Morosaglia — *Sce de Caldane* — Col de Prato — La Porta — *CASTAGNICCIA* — San-Pietro-d'Accia — Piazzole — Sᵗᵃ-Lucia-di-M. — Moriani-Plage — San-Lorenzo — *San-Pétrone* — Piedicroce — Orezza — San-Nicolao — Stᵃ-Maria — *Casc.* — Stazzona — Sta-Christina — Campoloro — Cervione — Valle-d'Alesani — Prunete-Cervione — Bustanico — Piazzali — *Alesani* — Sermano — Linguizzetta — v. Corte — v. Aleria

CINARCA — v. Evisa — Soccia — Orto — *Fiume Grosso* — Caldanelle — Vico — Guagno — *Forêt de Pastricciola* — *Cuma* — Salice — Sagone — *CINARCA* — Sari-d'Orcino — *Cruzzini* — Tuccia — Sarrola-Carcopino — *Gravone* — *Punta Vida* — Appietto — Gozzi — Peri — v. Ajaccio — v. Corte — *Gorges* — 0 4 km

SARTENAIS — v. Ajaccio — v. Corte — Petreto-Bicchisano — Aullène — Quenza — *Taravo* — *Filitosa* — *Bois de Valle Mala* — Sorbollano — Zonza — *Menhirs* — *Col de Celaccia* — *Cucuruzzu* — San-Gavino-di-Carbini — Sollacaro — *Castello della Rocca* — Levie — Olmeto — Stᵃ-Lucia-di-Tallano — Lotti — Fozzano — *Diorites* — Carbini — Baracci — Propriano — *Pont Génois* — *Caldane* — Col d'Ava — *Fiumicicoli* — *Rizzanese* — *Forêt de l'Ospedale* — Sartène — *Ortolo* — v. Porto-Vecchio — 0 4 km

Plaine — Bas maquis, cultures — Haut maquis, châtaigniers, quelques cultures — Pelouse d'altitude et hêtres — Crêtes — Station balnéaire — Village pittoresque — Source thermale — Église — Site — Panorama

Sur les traces de Colomba

Bien que les Corses n'apprécient guère Prosper Mérimée, on ne peut pas parler de Sartène et du Sartenais sans évoquer sa célèbre nouvelle, *Colomba*. L'intrigue fut inspirée à l'écrivain par une vendetta qui se déroula en 1833 dans le village de *Fozzano,* au nord de Sartène. Les deux familles ennemies étaient les Carabelli et les Durazzo, et leurs maisons fortifiées existent toujours. S'il faut en croire un descendant des Durazzo, la réalité dépasse la fiction, car c'est quatre cadavres, et non deux, qui furent rapportés du champ de Tonichello, dans la vallée de Baracci, après le règlement de compte final. À Fozzano, on peut encore voir la maison où vécut Colomba Carabelli et la chapelle où elle est enterrée. Ce n'est pourtant pas là qu'elle est morte, mais à *Olmeto,* à l'âge de 86 ans, ce qui tendrait à prouver qu'un cœur brisé peut encore faire un long usage.

Une poussière de villages

Fermé au nord-est par une ligne dentelée de montagnes bleues, le Sartenais descend par plans successifs jusqu'à la mer. La végétation y est typiquement méditerranéenne : figuiers géants, vignes et oliviers se mêlent au maquis de lentisques et de bruyères. Quant aux villages, ils s'accrochent à tous les mamelons, au-dessus des vallées et des innombrables ruisseaux qui sillonnent la région. « Entre 600 et 400 m,

écrit Jean Noaro, l'auteur du *Voyageur de Corse,* c'est une floraison de villages, une poussière de villages. » On pourrait en faire une litanie : *Petreto-Bicchisano,* d'où l'on découvre toute la vallée du Taravo; *Argiusta-Moriccio* et son sanctuaire torréen du col de Foce; *Aullène,* blottie parmi les châtaigniers, sous les ruines médiévales du château de la Contundine; *Serra-di-Scopamène,* « capitale » de l'Alta Rocca, un petit pays de bergers, qui produit un excellent fromage; *Quenza,* dont la chapelle Santa-Maria, construite par les Pisans en l'an mille, contient de curieuses statues naïves en bois polychrome; *Sainte-Lucie-de-Tallano,* un des plus jolis villages de Corse avec sa couronne d'arbres fruitiers, où l'on extrait une remarquable pierre dure, la diorite orbiculaire, mouchetée comme la peau de l'ocelot, et où l'ancien couvent Saint-François recèle de belles peintures.

En remontant vers le nord par le versant occidental de la chaîne centrale, c'est *Urbalacone,* sa source sulfureuse et son établissement thermal miniature; c'est le pays d'Ornano avec *Cauro,* que surveillent, du haut de leurs pitons respectifs, les vestiges de deux châteaux; c'est la Cinarca avec *Sari-d'Orcino* qui se prélasse parmi les oliviers, au-dessous des vignes et des figuiers; c'est le Liamone avec *Vico,* au pied du rocher de la Sposata (la mariée), ses statues-menhirs et son couvent Saint-François, qui abrite un crucifix de bois peint qui passe pour le plus ancien de l'île.

Mais citer des villages corses, c'est faire tort à tous les autres, ceux dont on ne parle pas, et qui ont chacun leur charme, leur caractère et, bien souvent, des trésors méconnus…

la Corse
des hauts sommets

*Au cœur de la Corse,
au-delà des derniers villages
accrochés à flanc de vallée,
la montagne est le domaine
de pâturages solitaires,
de torrents à truites,
de gorges sauvages
et de paysages chaotiques,
hérissés d'aiguilles de granite.*

▲ *Descendant de la Paglia Orba,
dont l'arête se profile à l'horizon,
la Calasima s'est creusé
un chemin sinueux dans le roc.*

◄ *Dès le début de l'été,
chèvres et moutons montent
chercher un peu de verdure
au-dessus du col de Vergio.*

*Taillée dans le granite,
la route domine le Golo
dans le farouche défilé
de la Scala di Santa-Regina.*

◄ *Selon la légende, Rinuccio della Rocca,
l'un des seigneurs de l'Au-delà des monts,
aurait transformé en repaire
ce piton rocheux proche de Bavella.*

Sommets altiers,
versants abrupts où s'attarde la neige,
forêts silencieuses,
vallées closes et torrents murmurants,
la haute montagne est accueillante,
à la belle saison,
pour les bergers et leurs troupeaux.

▲ *Face à l'imposant monte d'Oro,*
▲ *les ruines d'un ancien fort génois*
   au col de Vizzavona.

▲ *Il faut avoir le pied sûr*
   pour suivre les chemins
   de la transhumance.

Au pied de pentes escarpées, ▶
la Restonica se faufile entre des pins
et de gros blocs de rochers.

4. Montagne corse

▲ *Une gorge sinueuse*
où un torrent invisible
court vers la mer :
la Spelunca.

Bordé d'aulnes et de gazon naturel,
le trop-plein du lac di l'Oriente
va rejoindre la Restonica.

◄ *Le gypaète barbu,*
rapace de plus de 2 m d'envergure,
est une des espèces protégées
du parc naturel.

La montagne est un refuge
pour les plantes rares et les animaux en voie de disparition.
Mais les incendies et le braconnage menacent les derniers survivants,
et c'est pour préserver ce précieux patrimoine
que le parc naturel régional de la Corse a été créé.

▲ *Serti dans le granite,*
à près de 2 000 m d'altitude,
le lac de Capitello.

Traversant toute l'île
par la ligne des crêtes,
un sentier de grande randonnée
met les cimes et leurs lacs secrets
à la portée des bons marcheurs
et offre aux skieurs chevronnés
d'enivrantes équipées
dans la neige vierge.

▲ *Accroché à une pente,*
au fond d'un cirque
entouré de hautes cimes,
Asco est un centre d'excursions.

8. Montagne corse

La brume rend fantomatiques, ▶
presque irréelles,
les grandioses aiguilles de Bavella.

▲ *Au seuil du Fiumorbo,*
près du col de Verde,
une bergerie nichée dans la verdure.

$\mathcal{L}$a Corse, c'est bien connu, est « une montagne dans la mer ». Masse puissante, colorée, sculptée par le ciseau du temps, elle surgit brusquement au sein des mers latines, et son altitude moyenne — 568 m — est très supérieure à celle des deux grandes îles voisines, la Sardaigne et la Sicile.

Si ses plages ont des courbes tendres et des grâces exotiques, ses criques ont, déjà, le profil tourmenté des roches impérieuses. Ses pics s'aiguisent en arêtes vives, ses vallées se creusent en défilés profonds, ses torrents vont, fougueux, de gorges en cascades.

Tout, dans son relief, est âpre, heurté, chaotique.

Au-dessus de 700 m commence la « vraie montagne ». Maquis et cultures disparaissent : c'est le domaine des ruisseaux à truites et de la forêt, avec les châtaigneraies, puis les bois de hêtres et, plus haut encore, les immenses futaies de pins laricios. Au-delà s'étagent les prairies d'altitude, vastes espaces émaillés de fleurs minuscules, royaume du silence et du berger à la belle saison. À plus de 2 000 m est un étrange monde minéral. Il faut, pour l'approcher, mettre sac au dos et souliers de montagne. En hiver, des skis. Songez donc ! Dans les innombrables chaînes et chaînons qui se prolongent et s'entre-croisent, 8 sommets de plus de 2 500 m, 37 entre 2 000 et 2 500 m, 21 entre 1 700 et 2 000 m, et 11 cols dont l'altitude oscille entre 1 900 et 2 350 m !

Blottis au creux des vallons, en gradins sur les versants, perchés, parfois, sur un promontoire, les villages dorment en hiver et s'éveillent chaque été. C'est l'époque des vacances, des retours et des rencontres. Bergers et troupeaux transhument en une marche lente, quasi rituelle, dans l'exaltation du soleil de juin.

Ils redescendront, vers la « San Michele », dans l'or brumeux de l'automne. Alors, à nouveau, se clôt ce petit monde. Pendant de longs mois, la neige accompagne le vol des palombes et l'odeur des châtaignes grillées. On tue le cochon, on s'assemble en veillées, on skie à Asco, à Vergio, au Val d'Ese, au Bosco di u Coscione... Aucun doute, la Corse est bien l'« île-montagne » !

Un pays morcelé

Du nord-ouest au sud-est, la Corse est partagée en deux versants par une succession de massifs indépendants, qui vont des aiguilles de rhyolite du monte Cinto à la lourde masse de l'Incudine en passant par les croupes granitiques du monte Rotondo et du monte Renoso. Altitude moyenne : 2 000 m. Aucun point en dessous de 1 000 m. De cette épine dorsale s'échappent, perpendiculaires ou obliques, des chaînons ramifiés qui, isolant bassins et vallées, gardent jusqu'à la mer une belle altitude.

Cette énorme muraille sépare les deux anciennes provinces génoises : l'« En deçà des monts », schisteux, au nord-est, et l'« Au-delà des monts », cristallin, au sud-ouest.

Entre ces deux Corse, différentes de langues et de coutumes, les communications sont difficiles. Seul le col de Vizzavona, sur le grand axe routier qui relie Bastia à Ajaccio, est régulièrement déneigé. Difficile aussi le passage de vallée à vallée, par des routes rares, souvent vertigineuses, et des cols élevés. De ce cloisonnement vient la diversité. Chaque vallée a sa personnalité, chaque *piève* (ancienne division administrative), son passé et ses traditions. Nul ne peut comprendre l'histoire et l'économie de l'île s'il ne se souvient de cette particularité.

Un grand seigneur, le Cinto

À tout seigneur, tout honneur... La grande dorsale de la Corse commence, au nord-ouest, par le plus haut sommet de l'île, le monte Cinto (2 707 m). Il serait plus exact de dire le « massif du Cinto ». Énorme masse cristalline, burinée par l'érosion, hachée de failles innombrables, tourmentée par tous les vents du ciel, sorte de burg démantelé, dont les monstrueux donjons de rhyolite, de porphyre et de granite se succèdent jusqu'à la mer.

En fait, le « toit » de l'île domine d'assez peu ce monde de pics et de rocs. Il n'est, en effet, que le point culminant de la longue crête qui sépare le Val d'Asco du bassin du haut Golo. Son ascension est plus ou moins longue, plus ou moins difficile selon le point de départ et la voie d'escalade que l'on emprunte. Car le choix est grand : voie anglaise, voie autrichienne, voie berlinoise, voie française, voie italienne. Ces appellations mêmes disent tout l'intérêt que portent à cette rugueuse montagne des cordées venues souvent de fort loin.

C'est Albert Rochat qui fit, le 6 juin 1882, la première ascension touristique du Cinto. Puis vinrent, en 1883, l'Anglais Tuckett et, quelques années plus tard, l'Allemand Félix von Cube. Passionné et méthodique, celui-ci explora le massif, en traça la carte, en parla dans des revues alpines et « lança » le village d'Asco, qui, reconnaissant, donna son nom à un pic proche de la Punta Minuta.

Pour atteindre le sommet du Cinto, il n'est pas indispensable d'être un alpiniste chevronné. Des sentiers longs, mais assez faciles, y conduisent. Que l'on parte de la station du Haut-Asco, au nord-ouest du mont, ou de Lozzi, au sud-est, le cadre est austère, grandiose, angoissant parfois. Pins laricios qui s'éclaircissent, puis disparaissent, torrents qui courent dans l'herbe rase, bergeries de pierres sèches, bouquets de genévriers et taillis d'aulnes qui embaument le miel. Viennent ensuite les surplombs, les murailles, les cirques, les éboulis

La forêt corse

À partir de 800 m et jusqu'à la zone des alpages, la montagne corse est le domaine de la forêt. Celle-ci pourrait être la grande richesse de l'île, mais l'absence de routes rend le transport des grumes si difficile que l'exploitation n'est guère rentable. Un ennemi, autrement dangereux que la cognée du bûcheron, la guette : l'incendie, souvent dû à la négligence et favorisé par la sécheresse. Il détruit, chaque année, des centaines d'hectares de futaies.

Les deux essences le mieux représentées dans les forêts d'altitude sont le pin et le hêtre. Si l'on trouve des pins maritimes jusqu'à 1 000 m, si l'on rencontre quelques pins sylvestres, d'assez nombreux sapins, le conifère le plus répandu, le plus caractéristique est le pin laricio, un arbre svelte, élancé, au tronc lisse, parfaitement rectiligne, couronné par un bouquet de feuillage. Capable de vivre jusqu'à 500 ans, il peut atteindre 50 m de hauteur et fournissait, jadis, les plus beaux mâts de voilier.

Le hêtre fut très demandé au lendemain de la dernière guerre, le réseau ferroviaire ayant un besoin urgent et considérable de traverses. Des téléphériques, installés en hâte, permirent le débardage des bois, mais ils furent abandonnés une fois les voies ferrées remises en état, et les hêtraies ne sont plus exploitées que pour les besoins locaux. Quant à l'aulne, au feuillage odorant, il en existe plusieurs variétés, mais toutes se cantonnent aux rives des torrents.

Aux altitudes inférieures se trouvent d'autres essences. Le

$\longrightarrow$

▲ *Les pinèdes de la forêt de l'Ospedale, parsemées de boules de granite gris, s'élèvent au-dessus du golfe de Porto-Vecchio.*

Enfoui sous la neige durant la plus grande partie de l'année,
▼ *le monte Cinto est le toit de la Corse.*

et les névés. Entre les parois pourpres et mauves, la végétation est rare, mais les petites fleurs blanches de la saxifrage corne-de-bœuf pointent encore entre les pierrailles. Quelques gros lézards trapus, de grands vols de chocards à bec jaune, des eaux libres et des bruits de sonnailles animent le paysage. Et, soudain, « en amont d'une dernière cascade, le Cinto s'offre dans toute son inhumaine grandeur ». Du sommet couronné de croix rustiques, par temps clair, au point du jour car la brume monte vite, la vue s'étend vers l'est jusqu'à l'Italie, vers le nord jusqu'aux Alpes. La côte tout entière se découpe sur une mer d'argent. Alentour, crêtes et monts s'ordonnent comme à la parade.

châtaignier, qui fut longtemps l'« arbre à pain » de la Corse, est bien délaissé depuis que les châtaignes ne constituent plus la base de l'alimentation paysanne. Attaqué par la « maladie de l'encre », livré à lui-même, il ne nourrit plus que les cochons.

Autre nourrisseur de porcs, le chêne, avec ses diverses espèces : chênes verts au-dessous de 600 m, chênes blancs au-dessus, chênes-lièges dans la région de Porto-Vecchio. Enfin, sur le littoral, vivent le décoratif pin parasol et l'eucalyptus, un nouveau venu, introduit en Corse il y a une centaine d'années. ■

La Santa di Niolo

La Santa, c'est Notre-Dame-du-Niolo, une statue de la Vierge,

▲ *Alignés au pied des pins, les modernes chalets de la station du Haut-Asco ressemblent à des ruches.*

richement parée, qui orne l'église de Casamaccioli. Sa fête, célébrée le 8 septembre, donne lieu à des cérémonies religieuses et profanes. Depuis 1835, on y a adjoint une foire, la plus célèbre de toute la Corse.

La légende de la Santa débute au XVe siècle, le jour où un voilier essuya une terrible tempête dans le golfe de Galéria. Le capitaine implora la Madone et fit le vœu, si elle sauvait ses hommes et son navire, d'acheter la plus belle statue de la Vierge qu'il pourrait trouver à Gênes. Miraculeusement, la tempête s'apaisa. L'officier tint parole et, guidé par une étoile, déposa au couvent de Santa-Maria-de-la-Selva, dans le Filosorma, la statue promise.

Au XVIe siècle, la région fut pillée et le couvent mis à sac. Seule fut préservée la Vierge, que se

---

Au nord, la masse dénudée du monte Padro (2 393 m), autre but d'excursion pour randonneurs entraînés, cache la sauvage *forêt de Tartagine,* dont aucune voie carrossable ne sillonne les futaies de pins et les bosquets de chênes verts. Au nord-ouest, la Muvrella (2 148 m) empêche d'apercevoir le spectaculaire *cirque de Bonifato,* auréolé de hauts sommets, que l'on ne peut atteindre par la route qu'en partant de Calvi. Vers le sud-ouest, se dressent l'étrange dent rougeâtre de la Paglia Orba (2 523 m) et l'arche naturelle du Capo Tafonato (2 343 m). À l'aplomb du versant nord, scintillent le minuscule lac d'Argento, presque toujours gelé, et le lac du Cinto, solitaire dans son écrin de rocaille. Toutes proches, les hautes vallées de l'Asco et du Golo, et, plus lointaine derrière son écran de forêts, la haute vallée du Porto semblent vouloir protéger, telles d'infranchissables douves, le grand seigneur drapé dans son orgueilleuse majesté.

Asco, un village, un torrent

Au nord de la chaîne du Cinto s'ouvre, d'est en ouest, le Val d'Asco, petit monde de fraîcheur et d'eaux vives, entouré d'une réserve nationale de chasse destinée à préserver le précieux mouflon de Corse. Lorsque l'on quitte Ponte-Leccia pour s'engager dans ce cul-de-sac long de 30 km, on se croirait dans un décor de théâtre : un torrent frondeur, une gorge sauvage, un vieux village accroché à la pente, au milieu de terrasses plus ou moins cultivées, une forêt vigoureuse, un extraordinaire cirque de montagnes, une jeune station de ski... On a du mal à imaginer la vallée au temps, pas si lointain, où nulle route n'escaladait ses versants abrupts. C'était en 1937... Le Val d'Asco vivait, à l'écart des mutations insulaires, une vie communautaire, autarcique et frugale. Mais un maire dynamique et opiniâtre comprit très tôt la vocation touristique de la commune. Aujourd'hui, après trente ans d'efforts, le fruste village qui passait pour l'un des plus pauvres, des plus déshérités de l'île se pare, non sans une certaine emphase, du titre envié de « Zermatt de la Corse »!

On commença par remplacer le chemin muletier qui longeait les *gorges de l'Asco* par une route carrossable : 10 km de virages, de frissons et de surprises, des aiguillettes, des clochetons de pierre, des gargouilles fantastiques, des échauguettes et des tours surgies de grands bosquets de buis, des *tafoni,* grottes géantes abritant genévriers et hellébores, une roche nue, s'irisant de mille reflets, en camaïeux de verts, de gris et de bruns. Le bourg d'Asco s'accroche à mi-pente; il domine le torrent et contemple la montagne qui se dresse, colosse dépouillé, sur l'autre rive. Le vent des cimes caresse son pur clocher de granite, ses maisons aux pierres patinées... Dans la grande salle de l'unique hôtel — le premier « Logis de France » créé dans

l'île —, un petit musée d'arts et de traditions populaires raconte les gestes simples et les objets usuels. Voici la *secchja* (la jarre) dans laquelle les femmes, il y a dix ans encore, allaient puiser l'eau à la fontaine; voici la *fattoghia* (le moule d'osier tressé) où s'égoutte le *brocciu* (le fromage blanc); voici le joug et l'araire, la pelle à enfourner le pain, le long fusil à bourre. Il faut déguster le miel du pays, tout en parfum et en sucre blond, un parfum original dû à « la manne », mystérieuse mousse blanche, probablement d'origine végétale, qui tombe du ciel aux premiers jours de l'été.

En amont du village, la rivière d'Asco, grossie du ruisseau de Pinara, change de nom : elle s'appelle désormais Stranciacone. Résistant au poids des ans et aux caprices des eaux, un pont génois l'enjambe, qui surveille, en été, la fraîche baignade des jeunes gens... L'aspect de la vallée s'est modifié du tout au tout : c'est maintenant la haute montagne, avec ses pics et ses névés. Depuis 1968, une bonne route goudronnée suit le torrent, parmi les pins géants de la *forêt de Carozzica* qui, incendiée en 1955, se régénère vigoureusement. Sur la droite, le Stranciacone chante, bondit, s'attarde en vasques claires, se gonfle de la gracieuse Tassinetta. On atteint ainsi, dans un décor alpestre, la cabane-refuge de Giunte et, à 1 070 m, le plateau-clairière de Caldane, où il fait bon camper. En arrivant à Stagno, une sorte de balcon au pied de la Muvrella, on a oublié toute civilisation, et l'on s'étonne presque de trouver, juchée sur la moraine, une « station » de ski. Un refuge tout neuf, un hôtel, deux dortoirs, quelques chalets, deux téléskis : c'est *le Haut-Asco.*

De la Scala au Vergio, le Niolo

Pour pénétrer par l'est dans le Niolo, ce haut plateau qui épouse les pentes méridionales du Cinto, on traverse l'un des plus beaux sites de la Corse, la célèbre *Scala di Santa-Regina.* Ce sont les gorges du Golo. Jadis, comme en Val d'Asco, point de route carrossable. Seul, taillé dans le vif du roc, sur la rive gauche du torrent, suspendu au-dessus du vide, un sentier coupé de marches (d'où le nom de *scala,* qui signifie « escalier »), permettait aux habitants du Niolo de communiquer avec les Cortenais. Communication lente, hasardeuse, rythmée par les pas de l'homme et de la mule.

Il fallait bien, pourtant, transporter jusqu'à Corte, jusqu'à Bastia, les troncs d'arbres coupés en forêt de Valdo-Niello. Les muletiers n'y suffisaient plus. Alors, à la fin du siècle dernier, on écartela la montagne, et la route suivit la chevauchée fantastique du torrent. Le défilé est d'une sauvagerie saisissante. « Pendant près de dix kilomètres, les versants se resserrent en couloirs, se dressent en aiguilles, en pitons et en tours étagées comme des visions de Pira-

disputèrent bientôt les populations voisines. Pour mettre fin à ces convoitises, on chargea la statue sur une mule qu'on lâcha à l'aventure. La bête marcha longtemps. Arrivée sur la place de Casamaccioli, elle s'arrêta net, attendit qu'on la décharge, puis, mystérieusement, disparut!

Les Niolins vénèrent leur Santa. La fête religieuse est précédée d'une neuvaine, où se succèdent les cinq paroisses du canton. Puis se célèbre la grand-messe, suivie, sur le Campo, d'une étrange procession, la *granitola*, qui enroule et déroule, selon un rituel précis, la file des pénitents en aube et en cagoule blanches. À chaque halte, cantiques et invocations se répondent, et des coups de feu crépitent avant que la procession ne reprenne le chemin de l'église.

Commence alors la fête profane. Casamaccioli vit, pendant trois jours, au rythme fou d'une immense foire. Venus de tous les coins de l'île, bergers, paysans, artisans, en costume de velours et large ceinture, vendent et achètent bétail, produits du terroir et objets artisanaux. On goûte au *lonzu* (filet de porc), au *prizuttu* (jambon), aux *fritelle* (beignets); on organise des concours de béliers, de chevaux; on s'affronte, amicalement, dans d'admirables joutes poétiques : bardes chevronnés et jeunes, qui rêvent de leur ravir la palme, improvisent, sans effort, sans artifice aucun, les *chiami e rispondi*, ces malicieux couplets où l'on se donne la réplique, et les *paghielle*, ces chants à trois voix dans lesquels s'exprime toute la nostalgie de l'âme corse. ■

▲ *Tolla s'étage au-dessus du barrage qui a transformé en lac une partie des gorges du Prunelli.*

Entre Asco et le Haut-Asco, le Stranciacone a formé des gorges accidentées, où les pins s'accrochent
▼ *aux rives rocheuses.*

nèse [...] Les escarpements, hauts de quatre à cinq cents mètres, lézardés, broyés, rayés, creusés de nids, de tafoni, coupés de coulées d'éboulis, sont toujours des parois nues [...] D'une muraille à l'autre, le Golo, suivant un fil d'Ariane invisible, contourne des panneaux de roches successifs, si bien que perspectives et couleurs fauves, mais aussi vertes et noires, changent sans cesse » (Georges Grelou).

Brusquement, le paysage se dégage. C'est le Niolo, le plus haut canton de Corse. Après l'enfer minéral des gorges, cette cuvette bosselée, longue d'une vingtaine de kilomètres et large de six ou sept, apparaît comme un bassin de lumière.

Vers le sud, les croupes s'élèvent en pente douce, tandis que, vers le nord, la puissante cohorte des hauts sommets de l'île dresse une barrière tutélaire. Au centre, un barrage, en retenant 25 millions de mètres cubes d'eau du Golo, a créé le plus clair des lacs, autour duquel s'étagent et s'étalent, entre 850 et 1 100 m, bien à l'aise parmi les chênes, les noyers et les châtaigniers, les cinq communes dont *Calacuccia* est la « capitale ». De vieilles maisons solides et avenantes, des ruelles coupées d'escaliers, des églises toutes simples, ornées de statues naïves, en bois polychrome, d'une facture très originale, œuvres d'artistes locaux : le Christ de l'église Saint-Pierre, à Calacuccia, le saint Roch de *Casamaccioli,* le beau crucifix de *Lozzi.* Dans ces villages très haut perchés — Calasima, à plus de 1 000 m, est le hameau le plus élevé de Corse — vivait autrefois, en une autarcie presque complète, tout un petit peuple de bergers et de paysans. Ils tissaient le drap — *panno corso* —, et le poil de chèvre pour en faire le *pelone,* le manteau des bergers. Ils tressaient le jonc et l'osier, se nourrissaient de leurs produits. S'il reste encore, dans le Niolo, beaucoup de bergeries aux murs de pierres sèches et à toit de terre, la plupart sont abandonnées. Mais le pays reste accueillant, avec ses champs et ses arbres fruitiers... Et l'on voit les ânes, les cochons et les poules aller en liberté!

Au-delà des monts

Vers l'ouest, les forêts de Valdo-Niello et d'Aïtone, où les mouflons du Cinto viennent chercher refuge en hiver, encerclent le plus haut col routier de Corse, le col de Vergio. C'est, à 1 464 m, l'un des plus beaux balcons de l'île, en même temps qu'une station de ski fréquentée. Valdo-Niello, Aïtone : deux fleurons de cette Corse que les Phéniciens, déjà, appelaient le « Promontoire boisé ». À *Valdo-Niello,* les hêtres se mêlent aux fûts rectilignes des pins laricios et dressent une barrière sombre entre les pâturages du col et les pentes arides des monts qui, de toutes parts, ceinturent les bassins du Liamone, du Tavignano et du Golo.

Bêtes rares et fleurs fragiles

À la splendeur des paysages corses s'ajoute la richesse d'une faune et d'une flore spécifiques, car l'isolement insulaire est complété, tout particulièrement en montagne, par celui qu'entraîne un relief tourmenté. Ainsi, certaines espèces, animales et végétales, n'ont jamais gagné l'île, d'autres n'en sont jamais parties, d'autres encore ont vu leurs caractéristiques se modifier au cours des temps.

Point de vipères dans les sous-bois, point d'écureuils ni de pies dans les arbres, point d'edelweiss ni de lys martagons, ces joyaux de la flore alpine, pour adoucir l'âpreté des sommets, point de champs de lavande, comme en Provence.

Mais le crocus de Corse ouvre ses étroits boutons mauves sous la neige

▲ *Les mouflons de Corse vivent dans des réserves et font l'objet d'une protection particulière.*

qui fond, l'ancolie de Bernard se blottit, ravissante et bleue, au pied des grandes parois, et l'aconit de Napel fleurit sur le plateau du Coscione. On trouve, dans les éboulis, le chrysanthème laineux qui se farde de pourpre. La blanche immortelle des frimas, plus douce que le velours, s'insinue au creux des rochers et, à 2 000 m, l'herbe des mouflons fait un gazon rose...

La sittelle, joli petit oiseau gris à l'œil bandé de noir, s'accroche en acrobate aux pignes des grands laricios (sait-on que ses plus proches parents habitent la Chine et le Canada?). La belette a une taille plus élevée, un ventre plus coloré que celle du Continent, alors que le sanglier est, au contraire, plus petit dans l'île.

Et le mouflon? L'*Ovis musimon* des naturalistes, seul mouton

La haute futaie touffue des pins laricios ▼ *en forêt d'Aïtone.*

La *forêt d'Aïtone* — où poussent, en assez grand nombre, des sapins — est plus étrange, plus chaotique, plus colorée. Dans un jeu d'ombre et de lumière se cachent de gros rochers moussus, d'immenses dalles vertes. Un *paesolo* aussi, village de tourisme social, niché dans une clairière. Au « Moulin », des torrents bondissent

et se rejoignent pour former une extraordinaire piscine naturelle, puis retombent en cascades lumineuses. Au « Belvédère », on domine un précipice au fond duquel caracole, plein de fougue, le torrent Aïtone.

À l'orée de la forêt, sur son promontoire, se prélasse *Evisa*. C'est un village riant, entouré de jardins et de châtaigniers, une station estivale et un centre de repos. Au pied du village, l'Aïtone vient se jeter dans le Porto, tout au fond d'un cirque aux falaises abruptes, énormes murailles de porphyre rouge, au-dessus desquelles plane parfois l'un des derniers aigles royaux de Corse : c'est la *Spelunca*, porte occidentale de la montagne. Invisible de la route, même de l'admirable *point de vue de la Châtaigneraie,* d'où l'on découvre la crevasse en enfilade, le Porto, pressé de rejoindre la mer, coule, serré dans les gorges qu'il a creusées. Défilé si encaissé, si secret que seul le connaît vraiment celui qui va à pied. Car un chemin existe : il s'insinue dans le maquis, s'accroche au rocher, s'enfonce entre deux parois presque verticales. Bordé d'éboulis rouges et noirs, il pourrait mener aux enfers... Il débouche sur un élégant pont génois. Au-dessus, *Ota* dresse en amphithéâtre, dans le plus méditerranéen des paysages, ses maisons claires, ses tombes et ses chapelles. Entre ces deux promontoires — le Capo d'Ota et le Capo d'Orto —, se découpe, rouge au soleil couchant, la tour carrée de Porto. Au loin scintille la mer, dans l'un des plus beaux golfes du monde.

Le château des eaux vives

Au cœur des grands massifs du centre de l'île rêvent des lacs, vestiges de l'époque glaciaire. Ils rêvent, mais ne dorment point, car, dans la montagne corse, l'eau n'est jamais tout à fait immobile. Même retenue, cette coureuse frissonne et s'impatiente.

Combien sont-ils, ces lacs, blottis au creux de cirques majestueux? Une myriade, dispersée du monte Cinto au monte Renoso, dans des sites sauvages et solitaires. Ils ne sont cependant pas inaccessibles, au moins pour la plupart d'entre eux, et la « randonnée des lacs » est, en été, la meilleure façon de faire connaissance avec cette haute montagne qui, mieux que le littoral, révèle la personnalité de l'île.

À pied, donc, avec les bergers qui transhument, remontons les pittoresques *gorges du Tavignano,* creusées dans les schistes. Serpentant ensuite parmi les châtaigniers, puis entre les pins et enfin dans l'herbe rase, le sentier suit le torrent jusqu'à sa source, le célèbre *lac de Nino,* un diamant au milieu d'un cirque de montagnes. Bleu de l'eau, vert des pelouses et chevaux en liberté. Au-dessus, les pyramides trapues de la Punta Artica et du monte Tozzo et, à peine évasé, le rude col de Stazzona. Au loin, le profil dentelé des grands sommets...

sauvage d'Europe, est propre aux flancs du Cinto. Avec sa robe au poil rude et court, ses robustes cornes lyrées et cette agilité, cette sûreté de pied qu'aucun obstacle ne rebute, c'est le seigneur des grands espaces libres. On l'a bien implanté dans des réserves, sur le Continent, mais c'est au cœur de l'île qu'il garde sa force et sa beauté. Tout comme l'aigle royal, qui niche encore dans les parois abruptes des hauts sommets, tout comme le gypaète barbu, ce mangeur d'os, au vol d'une extraordinaire puissance, dont la femelle pond un seul œuf par an.

Quelques centaines de mouflons, six à huit couples d'aigles royaux, trois ou quatre couples de gypaètes... La faune originale de la Corse, dangereusement menacée, mérite, répétons-le, respect et protection. ■

▲ *L'arche unique
d'un vieux pont génois
enjambe la Calasima,
torrent du Niolo.*

*Un des sept lacs,
issus des glaciers, qui
entourent le monte Rotondo
▼ d'un collier de saphirs.*

Les ponts génois

On rencontre parfois dans la montagne, à l'écart des routes, un vieux pont qui enjambe un torrent. Si étroit qu'il ne peut être utilisé que par des piétons ou des cavaliers, il est généralement formé d'une seule arche ronde, ancrée sur le rocher. Son tablier en dos d'âne est dallé ou, plus souvent encore, sommairement pavé, et la construction en est assez rustique.

Bien que traditionnellement baptisés «génois», il semble que ces ponts soient, presque tous, antérieurs au XIIIe siècle, et que la République ligure ne soit pour rien dans leur construction. Sinon il faudrait admettre — car il n'y en a pas de plus anciens dans l'île — que la Corse ne possédait aucun pont avant l'arrivée des occupants génois,

$\longrightarrow$

Au sud, à 1 320 m d'altitude, c'est le *lac de Creno* qui, mélancolique, reflète les grands fûts des pins. Au sud-est, dans la haute vallée de la *Restonica,* avant que le torrent ne s'engage en grondant dans le chaos rocheux de ses célèbres gorges, le lac de Melo, à 1 711 m, est un miroir glauque, tandis que celui de Capitello, à 1 930 m, ressemble à une énorme goutte de rosée sertie dans le granite. Près du Capo a i Sorbi, Goria évoque un fer de lance, et le joli lac des Galères, à 2 442 m, a ses eaux lisses toujours glacées.

Comment faire un choix dans cette guirlande mouvante et claire, traditionnellement comparée à un collier de saphirs parant le monte Rotondo? D'autant que le massif du Renoso possède aussi ses joyaux : Bastani se repose, à l'aise sur 5 ha; Bracca s'isole dans un cirque sauvage; Vittalacca se perd sur un plateau herbeux.

De ce véritable château d'eau partent tous les grands torrents de l'île. Ils caracolent, grondent, s'étranglent dans des gorges, se battent avec le roc, puis, calmés, descendent vers la mer.

Au sud de Corte

Du col de Vergio à celui de Vizzavona, au sud de Corte, point de paysages dantesques, point d'extravagances minérales. Pour grandioses qu'ils soient, les trois sommets, le Rotondo (2 622 m), le monte d'Oro (2 389 m) et le Renoso (2 352 m), ont plutôt l'air de bergers attentifs surveillant leurs ouailles. Que l'on parcoure la vallée du Vecchio ou celle du Verghello, que l'on grimpe jusqu'au plateau d'Ese ou que l'on flâne dans les fougères de la forêt de Sorba, on ne voit, suivant l'altitude, que hauts pâturages, futaies de pins, hêtres, châtaigniers, chênes, bruyères et arbousiers. En été, comme dans le Niolo, les brebis sont sur les plateaux. Plus bas, les cochons retroussent les sous-bois, à la recherche de glands ou de châtaignes.

Au long du grand axe routier qui, au départ de Corte, pique vers le sud, puis vire à l'ouest pour rejoindre Ajaccio, les villages s'espacent, rendez-vous des chasseurs, des pêcheurs de truites et,

ou que ces derniers démolirent ceux qui existaient déjà pour les remplacer par les leurs. Deux hypothèses assez peu vraisemblables! ∎

Le parc naturel régional de la Corse

Pour empêcher la montagne corse de se vider de tous ses habitants que des méthodes archaïques d'agriculture et d'élevage ne parvenaient plus à nourrir, il fallait procéder à une véritable rénovation rurale. Il fallait, d'autre part, protéger cette nature insulaire, si belle, si diverse et si riche, qu'un tourisme anarchique commençait à défigurer. Voilà quels sont les deux impératifs qui ont entraîné, en 1971, la création du parc naturel régional de la Corse.

Étiré du nord-ouest au sud-est sur la grande dorsale cristalline, il couvre 150 000 ha, englobe les massifs du Cinto, du Rotondo, du Renoso, de l'Incudine et de Bavella, joue avec la mer autour du golfe de Porto et vit de la vie de ses 47 communes montagnardes.

La protection de la faune et de la flore est l'une des tâches essentielles et constantes du parc. Protection des forêts que ravagent chaque été les incendies; protection du mouflon qui y est en liberté. Fort menacé il y a quelques années encore, ce magnifique animal avait trouvé refuge dans les réserves d'Asco et de Bavella. Il en sort aujourd'hui, élargissant progressivement son territoire, et le cheptel semble augmenter malgré les embuscades d'incorrigibles « viandards ». Quelques aigles et quelques

▲ *Pâturages veloutés et affleurements de roches : le Coscione près de l'Incudine.*

Diaphane, presque impalpable, la cascade du Voile de la mariée, ▼ *à Bocognano.*

depuis peu, des estivants amateurs de calme et d'air pur. *Venaco* n'a-t-il pas déjà sa piscine en plein ciel, son hôtel confortable et révolutionnaire, « E Casele », fait de chalets semblables à des bergeries fondues dans le paysage, son parcours de pêche, ses randonnées équestres et son parc à mouflons? Pour ne pas être en

reste, *Vivario,* auquel sa couronne de forêts et la beauté de son site autorisent tous les espoirs, envisage d'aménager le vieux fort génois qui domine les gorges sauvages du Vecchio.

Un peu plus au sud, c'est la station climatique de *Vizzavona,* sur le grand axe d'Ajaccio à Bastia. Une gare dans les pins, une quinzaine de villas, quelques hôtels, un col qui, souvent, s'enveloppe de brume, une allée romantique de tilleuls et un vieux fortin génois, voilà la villégiature de week-end des Ajacciens. Partout l'eau coule en cascatelles, enjambée de passerelles rustiques. L'air est vif, la végétation vivace, la forêt accueillante. D'un côté se dresse la pyramide du monte d'Oro, de l'autre l'arête débonnaire du Renoso.

Bocognano s'enorgueillit de son air pur — le meilleur, y dit-on, de toute la Corse —, de ses énormes châtaigniers, gercés et déformés par le temps, de sa cascade du « Voile de la mariée », si blanche, si légère, si aérienne. On y raconte la rocambolesque histoire des frères Bellacoscia — un sobriquet signifiant « belle cuisse » —, ces bandits qui, soixante ans durant, vécurent au bord de la Pentica, entretinrent les meilleurs rapports avec l'autorité préfectorale et le Tout-Paris, correspondirent avec Edmond About et Pierre Loti, datant leurs lettres du « Palais Vert » du maquis.

Au sud de Bocognano, sur une route étroite et sinueuse rejoignant Ajaccio par le chemin des écoliers, *Bastelica,* avec ses six hameaux nichés dans la verdure et la statue de son héros guerrier — Sampiero, « le plus corse des Corses » —, est un gros bourg cossu, qui commercialise sa charcuterie et met en place, au plateau d'Ese, un centre de ski de fond. Aux environs, le défilé des *gorges du Prunelli* a acquis une dimension nouvelle depuis qu'un barrage l'a partiellement transformé en un lac transparent et tranquille.

Profil perdu sur la Terre des seigneurs

À vol d'oiseau, le monte Incudine n'est pas très éloigné de Bastelica, mais, en montagne, les routes ignorent la ligne droite. Pour atteindre le plus méridional des hauts sommets de Corse, il faut retourner à Vivario, monter parmi les pins laricios de la forêt de Sorba jusqu'au col du même nom, descendre dans la vallée du Fium'Orbo, traverser un cirque de montagnes tapissé par la forêt domaniale de Marmano et franchir le *col de Verde,* à 1 289 m d'altitude.

Passé le col, le paysage change. C'est déjà le Sud, plus ouvert. La forêt est toujours là, mais, lassée de monter à l'assaut des sommets, elle ondule et moutonne sur des croupes arrondies. D'énormes hêtres prennent la place des pins élancés, et, large et bocagère, la vallée du Taravo ouvre une trouée claire dans cet océan de verdure. Avec ses prairies et ses vaches, on dirait — presque — la Suisse!...

gypaètes, orgueil du ciel de Corse, planent encore au-dessus des arêtes et des cols. Pourra-t-on les sauver? La truite fario, toujours abondante dans les lacs et les torrents, se braconne sans vergogne si l'on n'y prend point garde. Aussi, pour assurer la survie de ce monde animal, pour que continue la merveilleuse « fête sauvage », le parc doit nourrir rapaces et mouflons, en connaître le nombre et les mœurs, aleviner lacs et rivières, et poursuivre les braconniers, sur terre comme en mer. Chaque jour, il surveille, éduque et tente de sauvegarder ce qui peut encore l'être.

Mais le parc n'est pas uniquement un jardin zoologique. Sur son territoire, l'homme vit et travaille. Restera-t-il dans son village, si on ne lui donne le confort auquel il a droit et des moyens décents d'existence? L'autre tâche du parc naturel régional, tout aussi primordiale que la protection de la nature, est l'aide, matérielle ou morale, qu'il apporte au berger, à l'artisan, au paysan.

Aujourd'hui, aux côtés de ceux — trop âgés, hélas! — qui ne quittèrent jamais leur terre, quelques jeunes reviennent. Des champs se remettent en culture, des bergeries se restaurent, des ateliers d'artisans se créent. Et l'on voit de vieilles maisons s'aménager en gîtes ruraux pour accueillir le touriste qui, dès lors, devient l'hôte.

Ainsi, au fil des ans et des jours, s'anime la montagne. Ici se crée un musée, là s'organisent des veillées, là encore s'ouvre un sentier de découverte de la Nature. Le mouvement est, certes, encore timide, mais à une longue désespérance succède enfin l'espoir d'un renouveau. C'est, en partie, le fruit du travail passionné, obstiné, de quelques hommes — les guides moniteurs du parc — qui, patiemment, sur le terrain, œuvrent avec un inlassable dévouement pour le développement harmonieux de la montagne corse. ∎

Sentier de grande randonnée et haute route de ski

Le G. R. 20 est le sentier de grande randonnée qui, par la ligne de partage des eaux, parcourt l'île du nord-ouest au sud-est et conduit le randonneur de Calenzana, près de Calvi, jusqu'à Conca, aux environs de Porto-Vecchio. Merveilleux moyen de découvrir la montagne, il court sur 173 km, traversant maquis, hêtraies, forêts de laricios, aulnaies

→

Zonza, un village bâti en terrasses au milieu de la verdure,
▼ *non loin des aiguilles de Bavella.*

L'Incudine lui-même ne rompt pas l'harmonie des hauts plateaux qui l'entourent et l'épaulent : la longue arête rocheuse qui, d'ouest en est, le porte à 2 136 m s'élève tout doucement jusqu'au curieux rocher qui lui a donné son nom (*incudine* signifie « enclume »).

La Terre des seigneurs — *i jo,* ces hobereaux turbulents et vindicatifs qui marquèrent l'histoire de l'« Au-delà des monts » — paresse au soleil et, par plans successifs, descend vers les vergers et les vignobles du Sartenais.

Le *Bosco di u Coscione* se gagne à pied en partant de *Zicavo,* un excellent centre d'excursions vers les immenses forêts de hêtres, retombées dans leur silence séculaire depuis que la S.N.C.F. a cessé d'en tirer des monceaux de traverses de chemin de fer. Le Coscione n'est pas seulement une magnifique futaie d'arbres centenaires. C'est aussi le haut lieu des pasteurs du Sud, un plateau rude en hiver, vivifiant en été, aux fabuleux entassements de roches nues et tourmentées, au gazon velouté, tout parsemé de *pozzi,* ces trous d'eau

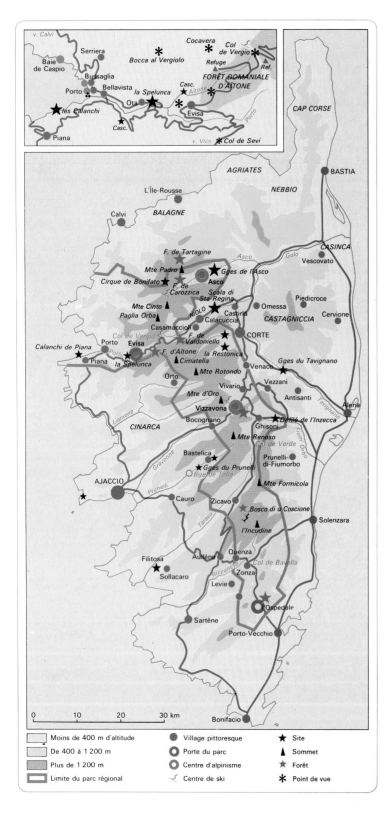

Moins de 400 m d'altitude
De 400 à 1 200 m
Plus de 1 200 m
Limite du parc régional
● Village pittoresque
◉ Porte du parc
◎ Centre d'alpinisme
⚲ Centre de ski
★ Site
▲ Sommet
✦ Forêt
✳ Point de vue

et gazons alpins. Itinéraire d'été, il n'est praticable que de la mi-juillet à la fin d'octobre, en raison du fort enneigement des sommets. Itinéraire sportif, il se déroule en terrain difficile, avec de fortes dénivellations, des passages rocheux assez raides et des traversées de torrents délicates en période de pleines eaux.

Avec ses deux refuges classiques et confortables, avec ses neuf abris-refuges construits sur le modèle des bergeries traditionnelles, le G. R. 20 est équipé. En 1975, les chefs de secteurs et les guides du parc ont achevé son « démaquisage » et son balisage, et poursuivi son aménagement : installation de câbles, d'échelles, de passerelles. Si ces travaux le rendent plus accessible au randonneur moyen, les étapes restent longues et le

ravitaillement difficile. Il faut donc, pour entreprendre ce magnifique parcours, une solide endurance et un équipement éprouvé.

L'itinéraire d'hiver, la « Haute Route », réservé aux skieurs-randonneurs, suit un tracé voisin. Il relie le village de Quenza au Haut-Asco, en franchissant, l'une après l'autre, les lourdes bosses des massifs de l'Incudine, du Renoso, du monte d'Oro, du Rotondo et du Cinto. Cette course de plusieurs jours dans la neige vierge, rendue extrêmement difficile par la topographie mouvementée, les froids intenses et les vents violents, n'est évidemment pas à la portée des skieurs débutants. Elle figure au programme des organisateurs de randonnées et tend à devenir classique, comme le célèbre « Chamonix-Zermatt ». ■

vallons boisés. Zonza commande l'accès de deux des sites les plus connus de la Corse, le massif de Bavella et la forêt de l'Ospedale.

Bavella, point d'orgue de toute randonnée à travers la montagne corse, c'est tout à la fois un col, un massif et une forêt. Il faut partir au matin pour voir, dans ce paysage unique au monde, l'ombre et la lumière jouer, chaque heure, à cache-cache. Le col est à 1 243 m, avec des pins tordus, étêtés par le vent, une herbe si verte qu'on la dirait pelouse, des fougères qui se teintent de roux à l'automne, une fontaine fraîche et un village de bergers, aux cabanes couvertes de tôle ondulée que l'on voudrait bien oublier dans le site. Mais le spectacle est alentour. Extravagance du minéral, puissance du végétal, féerie des couleurs : tout sollicite et tout émerveille!

Au nord, les *aiguilles de Bavella* dressent les pointes acérées de leurs sept tours au sommet d'un imposant rempart de porphyre rouge que les fantaisies de la lumière colorent, suivant l'heure, d'ocre, de rose ou de mauve. Des arbres isolés s'accrochent à la paroi rocheuse, le fond du gouffre disparaît sous les frondaisons des pins et, lorsque les écharpes de brume s'effilochent aux arêtes de rocher, on pourrait se croire quelque part au Japon...

Au sud, c'est l'altière muraille de la Tafonata di Paliri, sur laquelle viennent buter les eaux claires du torrent de San Pietro; c'est la Punta al Braccio, qui se dresse, solitaire et menaçante. Au fond du cirque, la forêt de pins, jeune encore puisqu'elle se régénère depuis le terrible incendie de 1960, est une halte plaisante. Il arrive parfois — mais ces animaux sont farouches! — que l'on croise un mouflon, car le massif de Bavella est une réserve nationale de chasse. En allant vers Solenzara, il faut se retourner et jeter un dernier regard, au col de Larone, sur les immenses parois de roc, sur le jaillissement anarchique des pics, sur le profil torturé des arêtes, sur l'impressionnant Gio Agostino...

La route qui, de Zonza, descend vers le sud pour rejoindre Porto-Vecchio serpente à travers la *forêt de l'Ospedale,* l'une des plus belles de Corse. Entre les pins maritimes, drus et élancés, surgissent d'étranges rochers gris, d'énormes pyramides. Des sentiers s'enfoncent parmi les arbres, invitation à la promenade. On monte au col d'Ilarata, d'où l'on découvre le massif de Bavella d'un côté et tout le sud de l'île de l'autre; on va admirer la belle cascade de la Piscia di Gallo qui, à la fonte des neiges, fait un plongeon de 50 m et creuse, dans le roc, bassins et marmites de géants. Quelques maisons, de la fraîcheur et des ombrages : c'est le hameau de *l'Ospedale,* séjour d'été des Romains, qui y avaient édifié un hôpital, et oasis de verdure pour les Porto-Vecchiais. Là meurt la montagne, à près de 1 000 m d'altitude. Dominant une dernière fois la mer, elle offre, en une vision grandiose, la plaine noyée sous les chênes-lièges, le lagon bleu du golfe de Porto-Vecchio et l'archipel sauvage des Cerbicales.

auprès desquels l'aconit dresse ses grandes fleurs violettes. Est-ce la finesse de l'air ou l'odeur des herbes de montagne? Là semble s'arrêter le temps...

Puissant et massif, l'*Incudine* est tout proche. On ne saurait trop conseiller de l'escalader de nuit, afin de goûter, au sommet, un merveilleux moment. L'aurore point. Elle farde du même rose les deux mers jumelles, Méditerranée et Tyrrhénienne, lisses comme une soie d'argent, puis caresse les crêtes sombres de la Sardaigne voisine. Sur la côte, qui se dessine et lentement se précise, les lumières de Ghisonaccia, d'Ajaccio et de Solenzara scintillent encore, semis d'étoiles tombées des nues...

Au sud de l'Incudine, voici *Zonza,* une petite ville fraîche, coquette, touristique, dont les belles maisons de granite, couvertes de tuiles roses, se dressent sur une avancée en balcon au-dessus de